CW00430852

La libraire
de la place aux Herbes

DU MÊME AUTEUR

Il y a tant d'aurores qui n'ont pas encore lui,
Le Passeur, 2018.

Mon cœur contre la terre, Eyrolles, 2019.

ÉRIC DE KERMEL

La libraire
de la place aux Herbes

Dis-moi ce que tu lis,
je te dirai qui tu es

———

ROMAN

ILLUSTRATIONS
Camille Penchinat

© GROUPE EYROLLES, 2017.

Remerciements

Donner à lire ce que l'on écrit est un exercice délicat. Comment faire de ce geste non pas un acte « prétentieux » mais bien une occasion de partage.

Cette mise au monde a été une aventure pleine de joie grâce au professionnalisme et à l'attention des équipes d'Eyrolles au sein desquelles je tiens tout particulièrement à remercier Gwénaëlle Painvin, Anne Ghesquière et Sandrine Navarro.

Merci à Erik Orsenna, mon « père de lettres », de me tenir par la main des mots alors que je fais mes premiers pas.

Préface

Il était une fois...

C'est ainsi que commencent les histoires qui nous enchantent.

Il était une fois une librairie.

C'est ainsi qu'Éric de Kermel nous emporte dans un très joli conte.

Il était une fois Nathalie, prof de Lettres et parisienne.

Elle n'en peut plus de la Grande Ville. Décidément, elle veut changer de vie. Mais pas de mari. Double souhait qui, de nos jours, ne manque pas d'originalité.

Souvent, ils venaient à Uzès, 8 573 habitants, trésor du Gard, ville d'art et d'histoire.

Pourquoi ne pas y passer le reste de leur vie au lieu de seulement les vacances ?

Le destin leur répond : « Chiche ! »

Une librairie se trouve être à vendre, au coin de la place aux Herbes.

Et voilà comment l'aventure commence.

Qu'est-ce qu'une librairie ?

Une banque centrale d'une très particulière espèce. On n'y fabrique pas de la monnaie. Ou alors celle qui permet de se rêver puis de se vouloir LIBRE.

Dans cette librairie, les clients se présentent. Vite, ils deviennent amis. Et vite, à l'image de Nathalie, ils décident de changer.

Car un livre, un vrai livre, vous bouleverse. Il réveille en vous le royaume des désirs, le peuple des possibles, l'indomptable Armada des « pourquoi pas » ?

Et de même que nous, êtres humains, sommes différents les uns des autres, de même aucun livre ne ressemble à un autre. Tel qui chamboulera l'un, fera bâiller l'autre. À chacun son enthousiasme. Chaque lecture est un voyage et un amour.

Il était une fois neuf personnages en quête d'ils ne savaient quoi. Ce conte nous dit ce qu'il advint d'eux, sitôt leur livre ouvert.

Qu'est-ce qu'une librairie ?

Bien plus, bien autre chose qu'une série d'étagères où se morfondent des ouvrages.

C'est un lieu. Un lieu de lumière et de chaleur. Un lieu de partage et de confidences. Une géographie de fraternités.

Un lieu qui lie.

Voilà pourquoi ce conte est d'abord un récit de gratitude.

Merci les librairies, et celles et ceux qui les font vivre, qui nous font vivre !

Les hommes, je veux bien sûr dire les femmes aussi, ont inventé les livres.

La réciproque est vraie : quelle pauvreté, quel ennui, quelles répétitions serions-nous sans eux ?

Il était une fois, dans la vieille et bonne ville d'Uzès, une librairie toute neuve...

Erik ORSENNA

À Élise, Lucile et Sidonie...
faites que la vie ne dévore pas votre rêve.

Nathalie

Ou comment j'ai changé de vie

Ictus amnésique.

Cela peut arriver une à deux fois dans une vie.

Tout d'un coup la personne perd temporairement la mémoire. Ses facultés de raisonnement sont intactes mais elle ne sait plus où elle est, ce qu'elle a fait la veille ou la date du jour.

Ce n'est pas grave ; cela peut durer quelques heures.

Les chercheurs n'expliquent pas très bien les causes de ce phénomène.

Hypertension, stress, parfois même un orgasme peuvent être à l'origine de l'ictus amnésique.

Comme si brutalement le cerveau se mettait en protection, un peu à l'image d'un fusible qui claquerait au disjoncteur d'un compteur électrique.

Voilà ce que m'a dit le médecin, appelé en urgence par Nathan, après que je lui ai demandé à plusieurs reprises, les yeux hagards, pourquoi il était à côté de moi pour prendre le petit déjeuner.

L'orgasme et l'hypertension n'étant pas la bonne explication, je regardai Nathan et lui dis :

— Il est peut-être temps que nous quittions Paris… Je n'en peux plus de la ville. Elle me dévore.

Je ne veux pas être ingrate à l'égard de la capitale. Étudiants, nous avons apprécié de vivre à l'unisson des nuits parisiennes, boulimiques d'expositions, abonnés au Théâtre de la Ville et fréquentant les caveaux pour écouter les groupes de jazz venus directement des États-Unis.

Tant bien que mal, nous avons réussi à faire grandir Élise et Guillaume dans notre appartement de quatre pièces, rue de la Roquette.

Les enfants devenus grands, plus le temps passait, plus j'avais le sentiment de vivre en apnée, obligée de me protéger sous une armure chaque jour plus lourde pour ne pas entendre les bruits, sentir les odeurs, recevoir l'agressivité des regards, des bousculades du métro, de la saleté des rues.

Résister, c'est souvent étouffer sa sensibilité, s'endurcir, jusqu'au jour où l'armure craque.

Nous avons décidé de quitter Paris l'été suivant, après que Guillaume a obtenu son bac. Nous n'avions que lui à attendre car Élise était désormais à Arles, étudiante à l'École nationale supérieure de la photographie.

Nathan est architecte. Lors de chaque retour de vacances à Paris, il disait qu'il pourrait installer son cabinet n'importe où. Mais l'intention se faisait engloutir sous le quotidien et je dois avouer que si j'avais voulu que cela se fasse il aurait fallu que je prenne le relais.

Souvent ses élans naissaient après quelques jours passés à Crozon, dans le Finistère. Mon amour pour Crozon date de ma rencontre avec Nathan. Nous étions tous deux en stage de voile aux Glénans quand nous avons fait notre première vraie croisière autour de la presqu'île. Équipiers sur le même bateau, nous sommes devenus équipiers pour la vie.

Depuis, nous y sommes beaucoup allés, retrouvant une petite maison de pêcheurs que nous avons achetée dès que nous avons eu trois sous de côté et alors que nous n'avions même pas de voiture.

Elle se trouve au milieu des landes de bruyères, à deux pas de la pointe de Dinan, un vrai paysage de carte postale en Bretagne.

Mais j'étais fondamentalement une fille du Sud, et certains séjours à la Toussaint ou à Pâques, où les heures d'ensoleillement de la Bretagne se comptaient sur les doigts des deux mains, freinaient nos enthousiasmes estivaux.

À l'époque, j'enseignais la littérature aux classes de terminale du lycée Montaigne.

J'aimais mes élèves et ils me le rendaient bien.

Dans les classes littéraires, les lycéens sont tellement curieux et enthousiastes qu'ils me permettaient d'aller bien au-delà des programmes pour leur faire découvrir des auteurs qui étaient de bons passeurs vers une littérature moins académique.

Avec les classes scientifiques, c'était chaque année un défi. La littérature n'étant pour eux qu'une option qui permet de grappiller quelques points au bac, mon enjeu était de faire tomber les murailles émotionnelles de ces jeunes matheux pour leur faire découvrir un autre monde : exotique, parfois irrationnel, toujours très éloigné de l'univers de Descartes dans lequel ils évoluaient.

Chaque année, je réussissais à embarquer quelques élèves vers ces rivages nouveaux. Ils découvraient alors que le monde était bien davantage doute que certitude, poésie qu'équations.

L'orientation de ces jeunes était très souvent le résultat d'un non-choix. Celui qui était bon en maths avait la « chance » de pouvoir aller en S. Tout autre choix aurait été du gâchis. Cette injonction s'était construite après la Seconde Guerre mondiale et était désormais autant portée par le corps enseignant que par les parents. Un enfant ingénieur devenait la fierté de ses parents bien plus que s'il se tournait vers les arts ou les lettres.

La Seconde Guerre n'a pas seulement tué des hommes et des femmes, elle a tué les lettres au profit des chiffres, l'instituteur au profit de l'ingénieur.

Nous avons découvert Uzès un jour de janvier.

Il est facile d'avoir un coup de foudre pour Uzès en hiver, attablés à une terrasse devant une tartine de fromage de chèvre arrosée d'huile d'olive.

Le Sud bénéficie du mistral pour chasser les nuages. Dans la vallée du Rhône, le vent est violent, alors qu'il s'atténue dans l'Uzège, offrant alors le bénéfice du bleu du ciel et de la chaleur du soleil à l'abri des murs de pierres.

La petite ville doit sa beauté à son histoire. Ce premier duché de France a hébergé princes, seigneurs et prélats, qui voulaient tous avoir un hôtel particulier reflétant leur rang. Les portes anciennes, les fenêtres à meneaux avec leurs balcons ouvragés et les corniches surplombées de tourelles donnent le sentiment d'être dans un environnement totalement préservé. La loi Malraux favorisant la rénovation du patrimoine ancien et de bons architectes des monuments de France ont permis de restaurer Uzès et d'en faire ce qu'elle est : un trésor de la Renaissance.

Venir a Uzès était ce que l'on appelle communément un choix de vie. J'ai même cru un temps que c'était un choix de vie de couple. En réalité, nous avons pris cette décision à deux, mais je me suis rapidement retrouvée à vivre seule au gré des allers-retours de Nathan.

J'ai découvert la vie de femme au foyer, sans enfant, sans travail, mais avec les moyens de payer mes cours de Pilates ou de refaire la déco de nos chambres aux *Affaires étrangères*, la boutique ethno-bobo que fréquentent les nouveaux arrivants à Uzès pour aménager les bergeries qu'ils achètent dans la garrigue.

Nous, c'est une magnanerie que nous habitons. Une grande maison en pierre, bâtie autour d'une belle cour, où l'on élevait autrefois les vers à soie pour les filatures de la région. La précieuse matière première était ensuite acheminée vers les soyeux de Lyon qui en faisaient des étoffes vendues à prix d'or dans toute l'Europe.

La place aux Herbes est au cœur d'Uzès. On ne peut s'y rendre qu'à pied, par un entrelacs de jolies ruelles. De grands platanes lui procurent une ombre bienfaitrice en été.

La place est entourée d'arcades qui abritent les terrasses des restaurants.

Un grand marché s'y tient tous les mercredis et samedis.

Le samedi, c'est toute la ville qui devient un marché car le boulevard circulaire accueille aussi les vendeurs de fringues.

Il n'y a que les touristes qui s'y rendent en été, car il est impossible de circuler et d'apprécier la place tellement les étals et leurs parasols obstruent toute vision d'ensemble.

Je vais au marché le mercredi. Ce jour-là, seuls les producteurs locaux s'installent. J'ai redécouvert l'importance de la qualité des produits en arrivant ici. Un fruit de saison qui n'a pas voyagé et vient directement des vergers est sans comparaison avec celui que l'on peut trouver à Paris. Il en est de même avec les légumes, les volailles ou les fromages. La proximité de la mer est aussi un bel atout. Je ne connaissais que les huîtres de Bretagne, mais je suis devenue une grande fana de celles de Bouzigues, cultivées sur les rives de la Méditerranée.

« À vendre »

Un petit panneau était accroché dans la devanture de la librairie qui se trouve à l'angle de la place aux Herbes.

Je regardais fixement les lettres bleues sur le kraft beige...

Pourquoi pas moi ?

J'aime les livres.

J'aime tous les livres !

Les tout petits, écrits d'un seul geste, comme les très grands qui sont l'œuvre de toute une vie ; les vieux avec leur reliure en lambeaux, mais aussi ceux qui, tout juste sortis de chez l'éditeur, fanfaronnent avec leur belle bande rouge.

J'aime les livres qui racontent de grandes histoires romanesques à vous tirer les larmes, mais j'ai aussi un grand plaisir à me laisser prendre dans les déambulations intellectuelles et savantes des essais qui me procurent le sentiment d'être plus intelligente.

J'aime les livres d'art qui font entrer dans les maisons les tableaux du Louvre ou du Prado, ou les images dépaysantes venues des cinq continents. Combien serions-nous à ne rien connaître de ces merveilles s'il n'y avait ces livres ?

J'aime la tranche des livres. Lorsqu'ils sont rangés dans les rayons, on les regarde avec la tête légèrement inclinée, comme si nous les respections avant même de les avoir ouverts.

J'aime le papier. Comment parler du papier au singulier. J'aime les papiers des pages qui se tournent, et dont parfois on se détourne. S'il est bien choisi, un papier consomme avec les mots, et les pages défilent avec gourmandise. Quand il dissone, il peut provoquer l'abandon du lecteur, irrité par un faux accord.

Un papier trop blanc ne convient pas à une histoire d'amour car l'amour n'est jamais tout blanc ; il jaunit légèrement avec le temps, prend les traces des heurts et des caresses comme les draps d'un lit après une étreinte.

Un papier gaufré donne de la profondeur aux mots. Ils s'y impriment et s'installent confortablement dans l'épaisseur des fibres, tel un chat sur les coussins d'un canapé.

J'aime aussi les mots sur les pages. Je ne parle pas du sens des mots, mais du rythme que produit le mouvement du gris. Entre chaque mot, un espace toujours égal garantit une distance de courtoisie qui permet à chacun de ne pas marcher sur les pieds de son voisin et de respirer à sa guise. Si nous étions comme les mots sur une page, je suis certaine que la bienveillance trouverait davantage de place pour s'épanouir.

Un jour, je suis tombée sur un livre où les espaces avaient été oubliés. J'ai été immédiatement gagnée par une crise d'agoraphobie tant j'avais de la compassion pour ces mots sardines, maltraités comme à l'heure de pointe dans le métro parisien.

J'ai tellement d'amis qui ont fait le rêve d'avoir une librairie comme d'autres font celui d'une chambre d'hôtes. Ce sont des rêves protecteurs, des rêves en forme de fuite parfois... Se mettre à l'abri des livres ou de grands murs...

Je pense que les livres ouvrent davantage d'horizons que les grands murs.

Le soir même, sans lui laisser le temps de poser son sac, j'entreprenais Nathan avec l'excitation d'une adolescente :

— La librairie de la place aux Herbes est à vendre !

— Et alors ?

— Alors je veux être la nouvelle libraire.

— Quelle idée ! Mais tes cours, ta carrière ?

— Tu sais très bien qu'un professeur n'a pas de carrière. Sa seule évolution se fait à l'ancienneté. Et puis je ne sais même pas où on va me nommer. Peut-être à l'autre bout du Gard !

— Mais cela va te prendre énormément de temps. Tu as une idée de ce qu'est une librairie ? C'est d'abord une affaire commerciale, un petit commerce même ! Tu gagneras certainement moins qu'en étant professeure !

— Je m'en fiche. Et puis du temps, j'en ai tellement où je suis seule. J'ai besoin d'un vrai projet au risque de devenir neurasthénique.

— Si tu sors de tels arguments, je ne vais pas résister longtemps.

Nathan est un homme bon. Un peu égocentré parfois, mais c'est le cas de bien des architectes. Ils ont le sentiment d'être indispensables à la bonne marche du monde. Certains sont de vrais visionnaires, d'autres des dangers publics qui imaginent des maisons pour les autres dans lesquelles ils ne pourraient pas vivre. Les pires sont ceux qui évaluent leurs réalisations à la tonne de béton coulée !

En signant l'acte notarié qui faisait de moi la propriétaire de la librairie, je pense avoir été aussi heureuse qu'à la naissance de mes enfants.

La différence c'est qu'en devenant libraire, j'avais le sentiment de naître à moi-même plutôt que de donner vie à un tiers.

Je dois beaucoup à mes lectures. Ce sont elles qui m'ont fait grandir et choisir mon chemin, qui m'ont permis de ne pas voir le monde qu'avec mes seules lunettes mais aussi avec le point de vue de ceux qui m'ont ouverte à d'autres univers, d'autres époques.

Je ne me suis jamais sentie aussi proche de moi-même qu'en lisant les mots d'un autre. Tous ces autres qui m'ont rejointe dans mon intimité l'ont fait avec pudeur et sans rien juger de mes ressentis. Ils ne me connaissent pas mais c'est bien au frottement de leurs phrases que j'ai découvert qui je suis. J'ai pleuré avec eux autant que j'ai ri.

Je dois tenir cela de mon père. Je ne me souviens pas de lui sans un livre ; il en avait toujours plusieurs en cours. Ceux du matin et ceux du soir, ceux pour le fauteuil de la véranda ou ceux à lire dans son lit.

Les livres ne sont pas jaloux. Ils s'effacent pour laisser leur place à un nouvel amant et savent rester immobiles et patients durant des siècles avant d'être réhabilités par le bras d'un enfant tendu vers un rayonnage.

J'ai été cet enfant devant les étagères de mes parents.

Des livres de poche aux pages jaunies ont été mes premiers compagnons de nuit. Kessel,

Giono, Mérimée, Malraux, Saint-Exupéry... j'ai veillé tard avec chacun d'eux avant de m'endormir blottie dans les bras de ces grands hommes.

Je me rappelle la première fois où j'ai glissé la clé dans la serrure de la librairie.

Uzès était silencieuse, comme souvent le lundi matin. Le soleil d'automne se levait à peine et commençait à éclairer le haut des platanes.

Je me suis surprise à me retourner pour vérifier si quelqu'un me regardait. J'avais encore le sentiment de ne pas être très légitime et d'ouvrir une porte qui n'était pas la mienne.

Mais la place aux Herbes était vide.

J'étais seule. Seule à ma joie.

Je tournai la clé.

Immédiatement l'odeur du papier m'accueillit. Cette odeur allait devenir mon quotidien au point que Nathan me fera un jour remarquer que je portais le parfum du papier.

Les anciens libraires ont pris leur retraite après trente ans passés dans ce lieu. Les livres dans les rayons étaient issus de leurs choix et les étagères qui les accueillaient avaient la patine des années.

Je caressais les tranches des livres comme les touches d'un piano. La lecture des titres composait une musique intime qui ressemblait davantage à la *Symphonie du nouveau monde* de Dvorak qu'à un prélude de Bach. Un vrai son et lumière désordonné avec tous les instruments de l'orchestre et les couleurs de la plus grande des boîtes de pastels...

La librairie fait un peu moins de cent cinquante mètres carrés mais se compose de plusieurs recoins qui permettent de créer des univers un peu différents : le coin de la jeunesse, celui des beaux livres, les essais...

Une grande vitrine donne sur la place et deux plus petites sur une jolie ruelle adjacente.

Je m'étais assise sur le tabouret en bois derrière la vieille table où était posée la caisse...

J'étais restée un long moment à apprécier du regard cet espace.

Il y avait une énergie qui se dégageait des rayonnages ; puissante et paisible à la fois. Comme si chacun des auteurs était caché derrière son livre et me regardait nue.

Je ressentis le vertige de la responsabilité nouvelle que je venais d'embrasser en tournant la clé de la librairie.

Avant ce premier jour, je n'avais pas pris de décision concernant d'éventuels travaux à entreprendre. J'hésitais entre deux options radicales : épouser la forme précédente, me fondre dans cet univers où j'avais tout à découvrir ou, à l'inverse, tout changer afin de ne pas rester dans les traces des anciens propriétaires comme s'ils étaient partis en voyage et allaient revenir un jour.

Quelqu'un frappa à la vitrine de la librairie. J'avais pourtant laissé le petit panneau avec la mention « Fermée », mais la jeune femme qui se présentait avait dans les mains un plateau avec une théière et deux tasses. Elle me fit un grand sourire, alors je lui ouvris...

— Bonjour, je m'appelle Hélène. Bienvenue ! Je tiens une petite boutique de fringues dans la rue voisine. Je suis tellement heureuse que la librairie ne devienne pas une pizzeria ! Je vous ai apporté du thé mais je ne vais pas vous déranger longtemps.

— Merci, Hélène. Je m'appelle Nathalie. Je dois dire que je ne réalise pas encore vraiment ce qui m'arrive, mais moi aussi je suis heureuse. Très heureuse !

— Si vous voulez, je vous aiderai à tout repeindre quand vous entamerez les travaux.

— C'est très gentil, je me demandais justement... quand j'allais m'y mettre !

En réalité, ce qui était évident pour Hélène l'était aussi pour moi : la librairie devait me ressembler pour que je puisse accueillir les visiteurs comme s'ils étaient chez moi.

Durant deux mois, aidée de Nathan parfois, d'Hélène souvent, et de Guillaume qui était venu passer une semaine entière à poser les étagères, j'ai redonné à la librairie une nouvelle allure.

Oh, il ne s'agissait pas de tout refaire afin qu'elle ressemble à n'importe quelle librairie Ikea blanche et sans saveur, mais de lui conserver son caractère en lui associant des matériaux nobles et sobres où les livres resteraient les princes des lieux.

Nous avons enlevé les vieux joints des murs de pierre, frotté les voûtes des plafonds, mis en évidence les jolies ogives et appliqué un fixateur incolore pour que les murs ne perdent pas de poussière.

J'ai longtemps hésité entre le hêtre et le pin clair massif pour réaliser les rayonnages, mais j'ai finalement choisi le pin.

L'effet que je voulais est parfaitement rendu : le pin est une essence presque blanche, gaie, et les livres sont comme éclairés par le bois qui les entoure.

Je voulais aussi trouver un éclairage doux mais suffisamment lumineux. J'ai opté pour de belles ampoules nues très originales simplement pendues au bout de fils tressés orange qui ressemblent aux fils électriques des maisons anciennes.

La seule chose que j'ai gardée d'avant c'est le tabouret et la vieille table où était posée la caisse. C'est mon côté superstitieux... J'ai eu le sentiment qu'il ne fallait pas se séparer du tabouret !

Quant aux livres, j'avais décidé de remettre en rayons tous ceux qui s'y trouvaient et d'introduire progressivement les auteurs et les éditeurs qui me manquaient mais sans bousculer un fonds qui avait fait ses preuves.

À dire vrai, les rayonnages ont bien évolué depuis, et je constate que les acheteurs ne demandent qu'à suivre les goûts du libraire à la découverte de rivages inconnus. Il est indispensable de disposer des classiques, des livres primés, des ouvrages régionaux, mais pour le reste, c'est au libraire de poser des choix, de donner une teinte à sa proposition, et d'être aussi un peu ambitieux pour les lecteurs.

Le pari de la beauté et de l'intelligence paye toujours !

Ce que je ne savais pas, c'est qu'en devenant libraire, j'allais aimer autant les lecteurs que les livres.

Après avoir été à la rencontre de moi-même, les livres allaient me faire découvrir des hommes et des femmes, des enfants et des vieillards, des malheureux, des bien-pensants, des joyeux, des assassins, des érudits sans abri, des séducteurs déprimés, des poètes boiteux mais lumineux, des amoureuses frigides, des voyageurs immobiles, des gourmands en pénitence, des religieux en quête de sens...

J'ai partagé leur vie en suivant leurs lectures, j'ai parfois précédé leurs pas grâce aux livres que je leur conseillais.

Sur des pages déjà imprimées s'est écrite une autre histoire ; les mots des uns à califourchon sur ceux des autres.

C'est cette histoire que j'ai décidé d'écrire.

Cloé

Dans un élan de liberté

Au bout de quelques mois, je commençais à avoir des habitués.

Certains venaient avec une intention d'achat très précise, d'autres étaient mus par la curiosité de découvrir les nouveautés. J'étais frappée de constater que de grands lecteurs n'imaginent pas emprunter un livre dans une médiathèque et peuvent acheter un, voire deux ou trois livres par semaine.

Ils n'achètent pas pour autant dix livres d'un seul coup car ils prennent du plaisir à faire de leur visite hebdomadaire un rituel presque immuable. Ils s'excusent parfois de ne pas être venus durant une semaine, et cela m'amuse. Il arrive souvent que ce soient eux qui m'alertent sur une parution prochaine, avec une certaine gourmandise quand ils sont des inconditionnels d'un auteur et que vient d'être annoncé son prochain livre.

Certains clients n'utilisent qu'un morceau de la librairie, toujours le même rayonnage. Il y a bien entendu les amoureux des polars mais aussi ceux qui ne s'intéressent qu'aux essais ou au rayon « psychologie ». Ces « spécialistes » deviennent des experts et j'aime parler avec eux car je suis une généraliste et ils me font souvent découvrir des perles que je ne connaissais pas.

La première fois que j'ai vu Cloé, elle était accompagnée de sa mère.

Elles ne se ressemblaient pas et pourtant la filiation sautait aux yeux. Cloé est une jolie fille, grande, brune, le teint mat, les yeux clairs, mais avec un regard impossible à croiser.

Sa mère est assez forte, les cheveux blonds, une peau claire et abîmée, le ton sec et décidé ne laissant pas vraiment de place à des conversations vagabondes.

J'avais été frappée par leur tenue vestimentaire. Difficile de parler de look tellement le leur était classique, triste et issu d'un autre âge. Une veste stricte, toujours bleu marine, qui surplombait une jupe plissée rouge ou grise, accompagnée de mocassins invariablement noirs.

Aucun risque qu'un regard plonge dans un quelconque décolleté car les deux femmes nouaient à leur cou un foulard imprimé dont je présume qu'il portait la griffe d'une grande marque parisienne.

À Uzès, ces tenues très classiques sont tellement rares qu'elles se remarquent ! C'est certainement moins le cas à Neuilly ou à Bordeaux.

Cloé suivait sa mère entre les rayonnages. Les trois livres qu'elles choisirent étaient tous issus du rayon regroupant les œuvres les plus classiques de la littérature française.

Lamartine, Hugo et Stendhal furent posés à côté de la caisse et j'ai cru qu'il s'agissait d'une commande correspondant à une liste de livres imposés par le lycée.

Cloé prit les livres, remercia sa mère, puis elles sortirent de la librairie en me saluant poliment.

Une dizaine de jours plus tard, la même scène se reproduisit et le choix se porta alors sur La Fontaine, Rabelais et Dumas.

Comme Cloé remerciait sa mère, je voulus savoir ce qui guidait ce choix :

— Ce sont des livres conseillés par le lycée ?

— Non, mais ils sont parfaits pour ma fille ; elle aime beaucoup lire.

— Ah... très bien. Et c'est vous qui choisissez pour elle ? Peut-être pourrais-je conseiller mademoiselle avec des livres plus récents et néanmoins adaptés à son âge ?

La mère me fusilla du regard et, pour la première fois, Cloé me regarda avec un sourire timide.

— Mais je ne vous ai rien demandé, madame ! Il me semble que je suis la mieux placée pour savoir ce qui est bon pour ma fille !

— Je ne voulais vraiment pas vous froisser. C'était une simple proposition.

Lorsque je racontai la scène à Nathan, il éclata de rire, n'imaginant pas que de telles pratiques puissent encore exister.

Dans certains établissements scolaires, comme dans certaines familles, la littérature s'est arrêtée à la fin du XIXᵉ.

Stendhal, Balzac, Hugo et consorts ont pris une telle place qu'ils sont considérés comme un péage intellectuel obligatoire pour l'apprenti lecteur.

Il en va de même pour l'initiation artistique, comme s'il fallait avoir apprécié la peinture flamande, les romantiques et les impressionnistes pour enfin aimer la peinture contemporaine.

Seule la musique n'a pas subi ces parcours imposés, en s'échappant des salles de concert grâce aux radios. J'ai écouté Cat Stevens, Genesis ou Joan Baez bien avant de découvrir Schubert ou Mozart.

Pour des jeunes, il est tellement plus évident d'aimer des artistes qui vont avec leur temps que de commencer par de l'archéologie littéraire pour faire naître une émotion.

Mon propos est sans doute un peu radical, mais je suis convaincue qu'un enseignement artistique basé sur une pédagogie du désir est le meilleur gage pour développer un véritable esprit critique, libératoire et affranchi des époques comme des modes.

Avec ces parcours imposés lors de notre scolarité, bien des adultes garderont ensuite longtemps une résistance à ouvrir, par plaisir, un livre classique. Et les premières victimes en sont Balzac, Stendhal et Hugo, bien malheureusement !

Ce fut ainsi le cas pour Nathan. Cela ne fait que trois années qu'il a accepté de baisser la garde contre la littérature classique en lisant *Quatre-vingt-treize*, le dernier roman écrit par Victor Hugo, mêlant narration historique et fiction autour de la Révolution française.

À la suite de cette lecture, il avait plongé tête baissée dans *À la recherche du temps perdu*, réputé pour beaucoup comme l'Annapurna de la littérature avec ses sept tomes et 2 400 pages !

Tout un été avec Proust... Tout un été où j'ai vu Nathan goûtant avec délectation les pensées mélancoliques de l'auteur, se nourrissant des dialogues de Swann, acceptant, au fil des phrases interminables de l'auteur, de prendre le temps d'être infusé par les mots.

Le terme « roman fleuve » est parfois employé de façon péjorative, or, un fleuve, c'est d'abord une somme de ruisseaux, torrents et rivières qui charrient des dizaines de milliards de particules organiques et minérales pour enfin rejoindre la mer.

À la recherche du temps perdu a cette richesse, cette amplitude, cette profondeur qui emporte dans ses flots toute la pensée humaine la plus intime. On peut s'arrêter sur un mot du livre, sur une phrase, comme sur une île au milieu du fleuve.

Prendre le temps de lire n'est pas seulement tourner page après page, mais prendre le temps des mots. Le temps de s'arrêter, de mâcher les mots comme l'herbe folle que l'on ramasse en balade et que l'on porte à sa bouche. Accepter de les déposer, comme on laisse reposer une pâte à crêpe, et de les reprendre ensuite.

C'est à l'âge de Cloé que j'ai pris l'habitude d'avoir un petit carnet où je recueille cette écume des livres que sont les citations. C'est un peu comme l'herbier d'un botaniste qui cueille au fil des sentiers ce qu'il trouve de plus beau ou qu'il n'avait encore jamais rencontré.

Je ne lis jamais sans avoir à portée de main un petit carnet où cohabitent mes références mais aussi les pensées qui me viennent à la lecture d'un mot, à la découverte d'un personnage ou simplement lorsque j'ai achevé la lecture d'un livre.

Ces carnets sont certainement ce que j'ai de plus intime. Un jour où Nathan, sans s'en cacher, en avait ouvert un que j'avais laissé sur une table, j'avais crié comme s'il venait de commettre un crime.

Depuis cette époque je dois avoir une vingtaine de carnets.

Chacun, différent du précédent, a été choisi avec soin. Je me souviens de la première citation du premier carnet : « Il faut que l'herbe pousse et que les enfants meurent. » Victor Hugo.

Cette phrase m'interpelle encore. Poétique et cinglante. Associant l'image la plus bucolique qui soit, une prairie d'herbe verte, au drame le plus cruel qui puisse advenir, la perte d'un enfant.

Sur une petite étagère, j'ai aligné ces archives de mon histoire. Une étiquette sur leur tranche indique simplement la date à laquelle j'ai écrit les premiers mots sur leurs pages. Ils sont davantage que l'écume de mes lectures, ils sont aussi le reflet de l'itinérance de mon âme. Comme d'autres regardent des albums photos, je les rouvre parfois, et remontent à la surface des moments, des visages, des sentiments, qui parfois éclairent le présent pour le mettre en perspective. Ils me rappellent ce par quoi j'ai pu déjà passer, pour le meilleur mais aussi pour le pire...

En voyant Nathan lire *À la recherche du temps perdu*, je me suis souvenue que Proust avait pris appui sur Hugo pour écrire à son tour : « Moi je dis que la loi cruelle de l'art est que les êtres meurent et que nous-mêmes mourions en épuisant toutes les souffrances, pour que pousse l'herbe non de l'oubli, mais de la vie éternelle, l'herbe drue des œuvres fécondes, sur laquelle les générations viendront faire gaiement, sans souci de ceux qui dorment en dessous, leur déjeuner sur l'herbe. »

J'aime cette littérature qui se fait la courte échelle. Les pensées qui font naître dans leur sillage des interpellations nouvelles.

Tous les auteurs contemporains ont lu Proust et Victor Hugo. Les auteurs classiques ont sédimenté notre culture collective, mais l'échelle a continué de grandir, et cela n'a pas de sens d'imposer à Cloé, Élise ou Guillaume de la grimper tout entière pour enfin parvenir à des textes leur offrant un plaisir plus accessible né de la plume d'auteurs contemporains.

Plusieurs semaines après la visite de la mère et de la fille, Cloé poussa la porte de la librairie.

Elle était seule.

Je la voyais déambuler.

Elle se promenait comme si elle ne cherchait rien de particulier, prenant un livre avant de le reposer et d'en prendre un autre, passant du rayon des policiers à celui de la philosophie avant de s'attarder devant un présentoir de livres de cuisine régionale.

— Vous cherchez un cadeau ?

— Non, merci, je regarde…

Sa réponse correspondait davantage à celle que l'on entend dans des boutiques de vêtements que dans une librairie.

— Si je peux vous aider, n'hésitez pas !

Après avoir passé encore un long moment à explorer les étagères, elle sortit de la librairie en me saluant.

Je la revis dès le lendemain, en fin de journée.

— Bonsoir, madame.

— Bonsoir, mademoiselle.

— En réalité je suis un peu perdue devant tous ces livres. Lorsque vous avez indiqué à ma mère que vous pouviez me conseiller, je me suis rendu compte qu'il y avait un autre choix possible que le sien.

C'était la première fois que je croisais le regard de Cloé. Elle me souriait comme si elle s'excusait de n'être pas capable de trouver seule son chemin.

— Vous savez, mademoiselle…

— Je m'appelle Cloé.

— Alors, Cloé, vous devez savoir que c'est bien le rôle d'une libraire de guider ses clients. Voulez-vous me dire quel type de livre vous recherchez ?

— Je n'en sais rien. Vous ne voulez pas en choisir un pour moi ?

J'ai eu, à ce moment précis, le sentiment d'avoir une grande responsabilité. Je savais quelles avaient été les lectures de Cloé et me souvenais de la phrase assassine de sa mère. Devais-je rester dans cette ligne ou accompagner

Cloé qui avait décidé de s'affranchir de l'influence maternelle. Je ne voulais pas décevoir la confiance de la jeune fille et je cherchais dans ma mémoire quel était le livre qui avait pu marquer mes jeunes années. Un livre de fille qui ne soit pas transgressif, car je n'avais aucune envie de la choquer inutilement.

— Vous allez lire ceci, lui dis-je en lui tendant *La Ferme africaine*. C'est une autobiographie de Karen Blixen. Une très belle histoire qui se passe au Kenya au milieu du XXᵉ siècle, quand ce pays était encore une colonie britannique.

— Merci.

— Promettez-moi de me dire ce que vous en aurez pensé, même si vous ne l'avez pas aimé. Et n'oubliez jamais que la lecture d'un livre n'est pas un devoir et que l'abandonner au bout d'une cinquantaine de pages barbantes n'est pas un sacrilège mais un impératif !

— Promis.

Cloé prit le livre et sortit en le serrant contre sa poitrine, comme un bien précieux que l'on veut protéger.

Je fus touchée par ce geste.

Cloé revint la semaine suivante. Dès son entrée dans la librairie, je la trouvai joyeuse et excitée. Je compris vite que je ne m'étais pas trompée.

— Il est magnifique ce livre ! Quelle femme extraordinaire, cette baronne ! Comme j'ai été triste à la mort de Finch Hatton dans son accident d'avion. Croyez-vous que le Kenya d'aujourd'hui ressemble encore à celui qu'elle raconte ?

— Je ne pense pas. Il existe toujours des grands parcs où vivent les lions et les éléphants, mais Nairobi est devenue une métropole très polluée et le quartier où se trouvait la ferme de Karen Blixen est désormais totalement dévoré par l'urbanisation. Tu voudrais retrouver Finch Hatton pour qu'il te fasse écouter Bach autour d'un feu de camp ?

Cloé rougit.

— Ça doit être merveilleux effectivement ! Je voudrais un autre livre. Pareil !

— Pareil ! Qu'est-ce que cela veut dire ? Un livre qui se déroule à l'étranger ? À une autre époque que la nôtre ? Qui raconte une histoire d'amour ?

— Je ne sais pas. Choisissez à nouveau.

J'hésitai. Surtout ne pas aller trop vite. Avancer en douceur pour que la jeune lectrice progresse à son propre pas. Je repensai à ma fille Élise. Aux livres qu'elle avait aimés plus que d'autres.

— Je te propose *Les Yeux dans les arbres* de Barbara Kingsolver. C'est un roman qui se passe à nouveau en Afrique mais c'est le seul point commun avec celui de Karen Blixen. Tu découvriras le destin d'une famille dont le père est un pasteur radical qui décide de quitter les États-Unis avec sa femme et ses quatre filles pour rejoindre l'ancien Congo belge au début des années 1950.

— Merci, merci.

Cloé avait les yeux qui brillaient. J'étais heureuse comme à chaque fois que je conseille un livre dont je me dis que j'aimerais vivre à nouveau l'émotion de sa première lecture.

Le samedi suivant, Nathan était venu tenir la librairie le temps que j'aille acheter du poisson chez Clément, le poissonnier ambulant qui a la réputation d'aller chaque matin à l'arrivage des bateaux de Sète pour choisir les meilleurs produits.

Après quelques pas entre les étals, je me retrouvai nez à nez avec Cloé et sa mère.

— Bonjour madame, bonjour Cloé.

Cloé était étrange. Elle semblait gênée de me voir et se mit en retrait de sa mère en apposant un doigt sur sa bouche comme pour me faire taire.

Je compris alors que sa mère ne savait rien de ses visites à la librairie ni peut-être même des livres qu'elle lisait désormais. Je respectai sa consigne en abrégeant l'échange par un :

— À bientôt ! Je dois me dépêcher d'aller chez Clément si je veux avoir de la lotte !

J'ai grandi à Rabat, au Maroc, sur les rives du Bouregreg qui se jette dans la mer en contrebas de la kasbah des Oudaïas.

Enfant, j'adorais regarder les pêcheurs revenir de leurs sorties en mer, vider leur pêche dans de grands paniers en osier et réparer avec soin les filets qui étaient abîmés.

Parfois, nous déjeunions de belles assiettes de sardines grillées sur de grandes tables recouvertes de toiles cirées colorées.

Quand je choisis mon poisson, chez Clément, l'odeur fait revivre en moi les sensations de la gamine qui mangeait avec les doigts ses sardines au citron.

C'est étrange le souvenir des odeurs. Nos films et nos photos peuvent tout enregistrer sauf les odeurs. Pourtant cette mémoire olfactive est très vive et il me suffit de croiser, même des dizaines d'années plus tard, une odeur du passé pour que soit ravivé le souvenir du grenier de la maison de Chaumont-sur-Loire, du corridor qui sentait l'encaustique à cause de l'armoire consciencieusement entretenue par ma grand-mère ou du jasmin étoilé qui couvrait toute la véranda dans laquelle mon grand-père faisait ses boutures.

Je m'associe avec humilité à la belle interpellation de Baudelaire dans *Les Fleurs du mal* : « Lecteur, as-tu quelquefois respiré avec ivresse et lente gourmandise ce grain d'encens qui remplit une église… »

Il suffit de si peu pour qu'une odeur occupe l'entièreté d'un espace.

J'ai remarqué qu'il existe de très beaux couples composés d'un livre et d'une odeur. Des associations qui vous transportent au point que mots et parfums donnent naissance à une narration exaltée qui emmène le lecteur bien plus loin que par le seul voyage des mots.

Rien de tel que le toit d'un riad dans la médina de Fès pour lire *Les Contes des mille et une nuits* ou la terrasse d'un café new-yorkais pour vivre à l'unisson des personnages de Paul Auster.

J'écrirais bien un guide de voyage uniquement basé sur l'association entre des écrivains et des villes : Pessoa et Lisbonne, Cervantes et Madrid, Murakami et Tokyo, Stendhal et Rome, William Boyd et Londres… Pour cela il faudrait que je me rende dans chacune des villes, que je trouve précisément le bon livre à conseiller et le meilleur endroit pour le lire !

Voici un joli projet à proposer à Nathan lorsqu'il sera à la retraite. Il porterait les bagages, réserverait les hôtels et choisirait les restaurants, et moi je lirais le matin et j'écrirais le soir, ou l'inverse…

Mon enfance au Maroc fait partie de mes trésors. L'éveil de mes sens s'est épanoui dans ce pays où l'odeur des épices, les couleurs des poteries, les plateaux de cuivres qui brillent au soleil donnaient l'impression à la petite fille que j'étais de vivre au pays des princesses.

J'ai certainement gardé de cette époque un goût pour les couleurs chaudes et vives : les ocres, les carmins, les safrans et le rose des fleurs séchées cueillies dans la vallée du Dadès. « Les soleils qu'on porte en soi comme une charrette d'oranges », dirait Aragon.

Je me rends compte que si j'aime vivre en Provence, c'est sans doute que la chaleur, les lumières, la cuisine du Sud nourrissent mes souvenirs d'enfance.

En particulier, le marché me transporte vers les étals du souk de Salé où j'accompagnais toujours ma mère. C'est elle qui m'a appris à choisir les aubergines, les courgettes, les tomates…

Se connaître soi-même n'est pas être capable de dérouler son *curriculum vitae* sans le moindre oubli. Je suis souvent frappée par ceux que je rencontre pour la première fois et qui résument ce qu'ils sont à leur profession et à leur nombre d'enfants. Dire qui l'on est n'est pas dire ce que l'on possède ou ce que l'on fait.

Mais force est de constater que l'exercice des cinq sens n'est pas donné à tous.

Un jour, une amie m'a offert un massage avec Joëlle, qui pratique des massages à domicile. Ce fut une révélation. J'étais nue sur sa table haute, elle avait réussi à faire tomber ma cuirasse en entamant sa séance en me faisant sentir différentes huiles essentielles. Pour chacune, je devais dire si je l'aimais, un peu, beaucoup ou pas du tout.

Tout d'un coup je lui avais dit : « Celle-là, je l'adore ! C'est quoi ? » C'était de l'huile essentielle de fleur d'oranger.

J'ai vite compris que cette odeur me transportait dans les rues de Rabat, à la saison où les orangers embaument. C'était l'odeur de l'enfance.

Joëlle avait déposé quelques gouttes de cette huile sur mes tempes, et c'est ainsi qu'elle avait immédiatement rouvert les chemins de tous mes sens. Depuis ce jour, le massage est devenu un rendez-vous régulier dans ma vie. Le moment où le mental lâche au profit des sens.

J'aime les auteurs qui savent donner des odeurs à leurs histoires, ceux dont les mots peuvent frôler ma peau ou s'y poser lourdement.

J'avais ainsi eu le sentiment d'avoir été au milieu des ruines de Beyrouth en lisant le livre de Sorj Chalandon, *Le Quatrième Mur*. J'étais sortie de ces pages blessée comme une femme au cœur de la guerre libanaise.

C'est un bon exercice que de chercher la couleur dominante d'un livre, son odeur, son bruit…

On peut faire cela avec chaque moment que nous vivons. J'apprends cela à Nathan pour qu'il ne soit pas sans cesse dans l'action. Au début c'était compliqué, mais l'autre jour il m'a surprise. Alors que le soleil se couchait très tôt en plein hiver, il a su se mettre au présent et percevoir « l'odeur du feu qui s'éteint dans la cheminée, le mauve du ciel qui s'embrase avant la nuit, le frottement des feuilles mortes tourbillonnant dans le coin de la cour ».

Lorsque Cloé revint à la librairie, elle avait remisé sa jupe plissée au profit d'un pantalon en jean, les mocassins étaient devenus des bottines, et elle portait une jolie tunique sur laquelle tombaient ses cheveux détachés. Une bien jolie jeune fille qui ne tardera pas à faire chavirer des cœurs.

J'avais décidé de ne pas faire d'allusion à la rencontre du marché, mais elle voulut tout de même se confier :

— Si ma mère apprenait que je lis autre chose que ce qu'elle m'achète, je n'aurais plus le droit de venir vous voir.

— Mais alors, comment fais-tu pour lire tes livres ?

— Je lis lors des récréations et la nuit, quand mes parents sont couchés. Parfois, le matin, j'ai un peu de mal à me lever. Quand j'ai fini un livre, je le laisse chez mon amie Claire.

— « La nuit, la raison dort et simplement les choses sont. Celles qui importent véritablement reprennent leur forme, survivent aux destructions des analyses du jour, l'homme renoue les morceaux et redevient arbre calme. » C'est une citation de Saint-Exupéry. Dis-moi, Cloé, ce n'est pas un péché de lire ces livres. Peut-être pourrais-tu simplement dire à ta mère que tu es en âge de choisir tes lectures.

— Pas encore. Pas maintenant. Elle est très belle votre citation. J'aime effectivement la nuit. J'ai parfois le sentiment que je suis la seule réveillée parmi tous les habitants d'Uzès. Je peux alors être donnée exclusivement aux mots, les suivre et partir avec les personnages, sans que personne ne s'en rende compte. C'est un peu comme une fugue... Je voudrais un autre livre !

— Quelle impatience ! Mais avant de te conseiller, parle-moi un peu de celui que tu viens de terminer.

— J'ai adoré Leah, l'une des filles du pasteur ! Elle est vraiment incroyable, celle-là. Je voudrais être elle ! Si solaire, et prenant chaque instant offert comme un cadeau. Elle ouvre sa vie à tous les possibles. Pourtant, il n'est pas facile son père. Une religion peut être un outil pour grandir et vivre, mais c'est terrible quand ce n'est plus que du fanatisme. Je trouve ce livre très intelligent car dans chacune des filles il me semble qu'il y a toutes les filles du monde. Mais moi, je voudrais être Leah !

— Voilà une bien belle critique littéraire ! Je peux te proposer un nouveau livre, mais toi, tu n'en as pas un en tête ? Un livre dont tu aurais écouté l'auteur évoquer sa dernière publication ?

— Non, mes amies lisent peu. À part Claire qui me parle parfois de ses lectures, mais je vois bien, rien qu'à leur couverture et à la lecture de la présentation qui se trouve au dos, que ce sont des histoires à l'eau de rose.

— Mais il n'y a pas que Claire. Il y a la télévision, la radio, Internet !

— Nous n'avons ni télévision ni Internet. Et la seule radio que nous écoutons passe exclusivement de la musique classique.

Je ne m'attendais pas à cela. Et ma surprise devait se voir sur mon visage...

— Je sais, c'est étonnant, mais ne croyez pas que je sois malheureuse. J'ai des parents qui m'aiment et qui font pour moi ce qui leur semble le meilleur. C'est grâce à eux que j'ai découvert le piano, le dessin, l'équitation. Rares sont mes amis qui font autant d'activités.

J'appréciai la réaction de Cloé. Elle avait raison. Qui étais-je pour juger ses parents ?

— Je veux bien une histoire d'amour !

— Ah, voilà une demande plus précise !

— Pour vous, quelle est la plus belle ?

— Mais quelle question ! Heureusement que je ne peux y répondre. Il y en a tant de différentes : celles qui commencent bien et finissent mal, ou le contraire ; les amours impossibles, les amours sans lendemain, etc. Il y a des chefs-d'œuvre très classiques mais qui restent des perles comme *Roméo et Juliette*. C'est une pièce de théâtre qui peut sembler désuète, mais rien ne l'est quand c'est écrit par Shakespeare.

« *La Princesse de Clèves* est également un livre magnifique qui raconte comment un amour rendu impossible par les convenances traverse la vie entière d'une femme, incapable d'oublier le duc de Nemours, au point d'en mourir de langueur.

« Il y a aussi *Héloïse et Abélard*, une pièce de théâtre qui raconte la découverte de l'amour par une jeune femme qui s'éprend d'un grand séducteur...

— C'est celui-là que je veux. *Héloïse et Abélard*...

Avant de régler son achat, Cloé se dirigea vers une étagère où elle prit un livre qu'elle avait visiblement repéré lors de ses précédentes visites.

L'Encyclo des filles.

Je continue de très bien vendre ce bouquin qui est une vraie mine d'infos pour des jeunes qui se posent de nombreuses questions sans savoir comment ou à qui les demander.

Je ne fis aucun commentaire à Cloé, qui partit avec ses deux livres.

Quelques jours plus tard, j'étais en train de servir un client quand la mère de ma jeune lectrice a déboulé dans la librairie.

— Vous m'avez trahie !

— Bonjour, madame. Si vous le permettez, je termine avec monsieur avant de revenir vers vous.

— C'est cela. Terminez !

Je ne sais ce que pensa le jeune homme pour qui j'emballais dans un paquet cadeau un très beau livre sur les constructions en pierres sèches. Je lui fis comprendre que ma trahison n'était pas une affaire d'État et que la dame qui venait de surgir manquait un peu de mesure.

Le jeune homme à peine sorti, Madame Mère repartit de plus belle :

— Comment avez-vous pu ! *Héloïse et Abélard* !

— Madame, je ne suis pas un débit de boissons ; rien ne m'interdit de vendre un livre à une mineure. Surtout quand elle le choisit !

— Mais Cloé n'a pu choisir un tel livre sans que vous l'ayez conseillée.

— Oui, c'est mon métier. Cloé est une jeune fille intelligente et sensible. Que craignez-vous ? Je suis moi-même mère de deux enfants et je vous assure que les livres sont de vraies chances d'éprouver ses propres désirs en se confrontant à des parcours de vie autobiographiques ou fictifs. C'est important pour un jeune à une période où il doit effectuer des choix qui l'engageront dans sa vie d'adulte. Je suis très honorée de la confiance que Cloé me témoigne et je vous assure que je suis une femme responsable qui ne lui veut que du bien.

La mère de Cloé sortit de la librairie en claquant la porte.

Je me suis demandé un moment si je reverrais la jeune fille.

Je pensais à Élise, ma fille aînée.

Avant qu'elle soit adolescente et rejette systématiquement toutes les propositions venant de ma part, j'ai eu le bonheur de partager avec elle ma bibliothèque.

Élevée au biberon de la littérature jeunesse de Bayard, commençant avec *J'aime lire* pour terminer avec *Je bouquine*, elle a eu très tôt le goût des livres.

J'étais heureuse d'avoir cela en commun avec elle. Les livres étaient des témoins que je lui passais, avec la certitude qu'ils seraient autant de jardins où cueillir des fleurs pour nourrir son imaginaire mais aussi pour inspirer sa propre histoire.

Certains soirs, à peine avalé son dîner, elle reprenait le livre posé quelques minutes plus tôt. Je décelais alors dans ses yeux une brillance engendrée par les émotions du voyage littéraire qu'elle vivait. Un simple regard sur la couverture de son livre et je la rejoignais dans son plaisir. Je pouvais ponctuer les pages tournées de propos complices qui créaient autant de dialogues entre nous.

Cette merveilleuse proximité me manque tellement aujourd'hui.

J'ai le sentiment que cette fameuse « crise d'adolescence », admise comme un incontournable, est sacrément violente. Retrouverons-nous un jour, Élise et moi, la si belle relation que nous avions auparavant ?

Je fus très vite rassurée sur le retour de Cloé car il advint dès le lendemain de la visite maternelle.

— Excusez maman. Quand elle m'a raconté qu'elle était venue vous voir, j'ai eu honte. Je lui ai dit que je n'avais plus dix ans et que si elle recommençait, j'arrêtais le piano, l'équitation, et refuserais de les accompagner lorsqu'ils iront au concert. Finalement, c'est mon père qui a pris mon parti. Lui, qui est habituellement peu bavard, a trouvé qu'il était temps que je sois un peu plus autonome et que cela passait aussi par mes choix culturels.

J'étais heureuse qu'il en soit ainsi.

Durant les semaines suivantes, Cloé venait régulièrement me voir et je continuais de lui proposer un parcours initiatique de livre en livre, tel un chemin en pas japonais sur lesquels elle pourrait avancer sans risque de chuter.

À chaque fois qu'elle en achevait un, nous avions un bel échange où je voyais poindre tout à la fois ses convictions, ses inquiétudes mais aussi ce qui la rendait heureuse.

À Uzès, il n'y a pas de saison qui n'ait son charme propre.

L'hiver, la ville ne dort pas. C'est la saison de ceux qui vivent ici à l'année. Les initiés…

Un point d'orgue hivernal est la fête de la truffe. Durant tout le week-end, la place est envahie de petits étals dédiés à l'or noir.

Les truffes ne sont pas présentées dans des cagettes, comme des carottes ou des poireaux un jour de marché. Elles semblent apparaître comme par magie dans les mains du vendeur qui ensuite les pèse sur une balance minuscule afin d'en déterminer le prix.

Les 100 grammes de truffe peuvent se négocier autour de 130 euros, au même prix qu'un caviar béluga !

Je suis capable de faire beaucoup de choses pour du béluga, mais pas pour une truffe. Je n'ai jamais osé le dire à quiconque car ici ce serait blasphématoire et je serais expulsée de la ville avec des plumes et du goudron !

Comme c'était l'année de notre installation, Nathan avait réservé deux places au dîner de gala organisé par le syndicat des trufficulteurs.

Des chefs étoilés cuisinaient l'intégralité d'un repas, uniquement à base de truffes. C'est là que j'ai fait mon baptême !

Trois cents convives étaient rassemblés et je constatai que bien peu étaient gardois : des Suisses, des Anglais, des Belges, des Américains, certains avaient fait le déplacement uniquement pour ce dîner et m'indiquèrent qu'ils ne le rataient jamais.

Comme j'avais du mal à apprécier pleinement le goût de la truffe, je fus guidée par un expert local :

— Vous coupez une fine rondelle de truffe crue sur laquelle vous mettez quelques grains de sel et vous la collez à votre palais. Gardez-la en bouche quelques secondes avant de la croquer. Vous sentez ce parfum ?

J'avais le sentiment d'être à la messe. Souvent, à la communion, j'ai l'hostie qui se colle au palais et je fais des grands mouvements de langue pour parvenir à la décoller. Autant dire que mon recueillement en est légèrement perturbé.

Malgré les conseils de l'expert, j'avais un peu de mal à participer sincèrement aux incantations élogieuses qui s'élevaient devant cette moisissure...

Sur chacun des plats qui étaient servis, on nous proposait de râper de la truffe comme nous le ferions avec un gruyère sur des spaghettis.

Je dois tout de même avouer que j'ai encore dans ma mémoire gustative les ravioles cuisinées par le jeune Fabien Fage, chef au restaurant *Le Prieuré* à Villeneuve-lès-Avignon...

Cloé n'est revenue qu'une seule fois sans avoir apprécié sa lecture.

— Je n'ai pas aimé *Un taxi mauve*. Je trouve que tous les personnages sont excessifs et je n'ai pas réussi à croire à cette histoire !

— Mais, Cloé, tu as tout à fait le droit de ne pas aimer un livre. Moi je suis une passionnée de l'Irlande et ce livre est une déclaration d'amour pour ce pays et ses habitants ! Pourquoi es-tu allée au bout de ce livre si tu ne l'aimais pas ?

— Je ne sais pas.

— Pour me faire pardonner de m'être trompée, je t'offre le prochain...

Je compris plus tard que le roman de Déon avait réveillé chez Cloé une zone d'ombre de l'histoire familiale. Souvent, les livres que l'on lit intégralement mais que nous n'aimons pas sont ceux qui nous renvoient à nos propres trous noirs.

Lorsque nous croisons la trajectoire d'un livre, c'est que nous avons rendez-vous. Qu'il était temps que la rencontre ait lieu. Quand nous parlons d'un livre, ce n'est pas seulement de ce que nous avons lu que nous parlons mais de nous-même.

C'est d'abord vrai de l'écrivain. Même la fiction la plus improbable raconte quelque chose de son auteur, mais il intervient ensuite une mise en abyme entre son histoire et la nôtre.

Les mots des livres sont comme des vagues nées à l'autre bout du monde qui rejoignent nos vies en se fracassant sur nos falaises ou en glissant avec douceur sur une plage de sable fin. Ce n'est pas en refermant un livre qui nous dérange que nous faisons disparaître les falaises.

Je venais de fermer la librairie et d'éteindre les spots de la vitrine quand un jeune homme frappa au carreau. Normalement je n'ouvre pas en dehors des heures indiquées, car sinon je n'arrêterais jamais.

J'apprécie ce moment où je me retrouve seule avec les livres. J'ai alors le sentiment d'être la plus privilégiée au monde. Je suis entourée des plus belles histoires de l'humanité, des drames les plus tragiques aux utopies les plus folles. Mon imagination joue avec les lauréats des prix littéraires, mélange les époques et je deviens l'intime de ceux que j'admire.

Joyce Carol Oates et Paul Auster sont alors mes confidents ; Camus et Sartre déshabillent du regard Amélie Nothomb avec un air complice, pendant que j'organise la rencontre entre Simone de Beauvoir et Nancy Huston. Elles ont plein de choses à se dire ces deux-là !

Ce soir-là, j'ai ouvert au jeune homme.

Il faut dire qu'il était très beau ce garçon. On aurait dit un pilote des débuts de l'aviation. Il portait un magnifique blouson de cuir avec le col en fourrure et de hautes bottes cavalières. Il avait des yeux magnifiques. Des yeux qui me rappelaient quelqu'un sans que je parvienne à l'identifier.

— Bonjour, madame, merci de m'avoir ouvert. Sans vous, je serais arrivé les mains vides à l'anniversaire de ma jeune sœur.

— Vous savez quel livre vous voulez lui offrir ?

— Non, absolument pas !

— Quel âge a-t-elle ? Vous connaissez ses goûts ?

— Elle a dix-huit ans. C'est une grande lectrice ! Il paraît qu'elle dépense tout son argent de poche chez vous !

— Cloé ? Vous êtes le frère de Cloé ? Mais je ne savais pas qu'elle avait un grand frère !

— Cela ne m'étonne pas. Je suis le mauvais exemple, le frère maudit ! Cela fait plus de trois ans que je ne suis pas revenu à Uzès.

Il avait dit cela avec un sourire qui accompagnait un regard triste.

— Je reviens d'Irlande où j'ai achevé mes études. Je ne sais si cela fait plaisir à mes parents mais je tenais à être là pour fêter la majorité de Cloé. Je ne vais pas m'attarder. Quel livre me conseillez-vous pour elle ?

J'étais perturbée. Je venais de comprendre pourquoi Cloé n'avait pas aimé *Un taxi mauve*. Jerry Kean, le personnage ambivalent et romantique, exilé par sa famille américaine en Irlande, ressemblait à celui qui me faisait face.

— Je pense que Cloé aimera *L'Échappée belle* d'Anna Gavalda.

— Je ne connais pas cet auteur. Mais ce sera sûrement très bien.

Je restai seule, assise sur mon tabouret de libraire. Dehors, il faisait nuit noire.

Je trouve profondément triste que les familles se déchirent. Je sais comme il a été important pour ma propre construction de bénéficier de l'amour des miens. J'ai essayé de reproduire ce climat avec Nathan et les enfants, et je pense avoir réussi même si je me suis parfois un peu oubliée en chemin au profit d'Élise et Guillaume.

Depuis Caïn et Abel, la littérature est remplie de ces histoires qui décrivent des familles en vrac.

Les relations incestueuses ou fratricides sont parfois tellement bien décrites par leurs auteurs que je me suis souvent interrogée sur l'ancrage de certaines narrations qui dissimulaient l'auto-biographie derrière la fiction.

On considère *Le Roman de Thèbes*, écrit par un clerc anonyme au XIe siècle, comme l'un des plus anciens romans français. Il raconte l'histoire des deux fils d'Œdipe, Étéocle et Polynice, voulant chacun gouverner la ville à la mort de leur père, et qui s'entre-tuent dans un combat singulier devant leurs armées pour que cesse enfin la bataille pour le gouvernement de Thèbes.

Le livre de Gavalda était bien plus positif, développant comment une fratrie, devenue adulte, décide de s'offrir un jour de retour en enfance en rejoignant le plus jeune d'entre eux, devenu guide dans un vieux château de Touraine.

Cloé revint me voir une dizaine de jours plus tard.

— Alors, vous connaissez Tanguy désormais !
J'ai adoré le livre qu'il m'a offert. Un très bon choix.

Cloé était rayonnante.

— Il s'est bien passé cet anniversaire ?

— Super ! Je vous dois des explications…

— Mais non, tu ne me dois rien, je ne suis
qu'une libraire, une vendeuse de livres, comme
d'autres vendent des chapeaux ou du fromage !
Je n'ai aucun droit sur toi, et je suis bien contente
ainsi.

— Vous exagérez ! Vous êtes une libraire
géniale, la plus grande des libraires !

— Je ne t'ai jamais connue aussi volubile et
démonstrative ! C'est ta majorité qui t'a donné
des ailes ?

— Non, vous n'imaginez pas comme j'ai
espéré longtemps que notre famille se retrouve
enfin ! Mes parents sont d'une grande intransigeance, et ils avaient décidé d'éloigner Tanguy
lorsqu'ils ont découvert qu'il était un consomma-
teur assidu d'herbe illicite. Ils ne voulaient pas
admettre que c'était quelque chose de finalement
très banal parmi les jeunes du lycée, et qu'il y
avait d'autres méthodes moins radicales que cet
exil. Tanguy voulait faire des études d'ingénieur
et, au lieu de le laisser rester en France, mon
père lui a choisi une école privée dublinoise.
Lorsque Tanguy est parti, j'avais quatorze ans.
Il est revenu une seule fois, il y a deux ans, pour
passer les fêtes de Noël à la maison. Un moment
horrible où chacun n'avait de cesse de provoquer
l'autre. Mon père voulait conserver une auto-
rité sur ce garçon de vingt et un ans, qui, lui,

saisissait chaque occasion pour défier la rigidité paternelle. J'en ai voulu à papa de m'avoir privée d'un frère. Maman tentait de justifier l'intransigeance de mon père mais je ne voulais pas l'entendre. L'autre soir, j'ai enfin retrouvé Tanguy. Il semblait heureux d'être là. Mon père aussi était apaisé, et, le temps de mon anniversaire, je crois que nous ressemblions à l'image de la famille idéale. C'était le plus beau des cadeaux. Le lendemain, nous sommes allés passer la journée à Aigues-Mortes, comme lorsque nous étions enfants et que mes parents nous emmenaient au restaurant dans la cité camarguaise. Les propriétaires de l'établissement où nous allions n'avaient pas changé, non plus que l'incroyable millefeuille à la framboise qu'ils préparaient ! Tanguy va encore rester quelques jours avant de partir à Londres où il commence à travailler. Maman est d'accord pour que je le rejoigne pendant un mois l'été prochain à la condition d'en profiter pour perfectionner mon anglais !

— En voilà des bonnes nouvelles, dis-moi, Cloé !

— Oui, et vous savez, je lui ai offert un livre à mon frère. Un livre que je vous avais acheté…

— Ah, laisse-moi deviner… Il ne s'agirait pas d'une histoire de famille qui se déroule dans un beau manoir irlandais mais qui finit bien mal ?

Je souris à la jeune fille en me disant qu'il suffisait parfois de pas grand-chose, et de quelques livres, pour que la vie reprenne les couleurs qu'elle avait perdues.

En retrouvant Nathan, je lui racontai les retrouvailles de Tanguy avec sa sœur.

Nathan sait écouter mais je suis souvent troublée par la faible oscillation de son humeur.

Il approuve avec un sourire et désapprouve avec une moue caractérisée par un mouvement de lèvres qu'accompagne un léger dodelinement de la tête.

Point de grands emportements ou de vrais enthousiasmes.

Ce soir-là, il comprit cependant très bien que cette histoire me touchait car elle n'était pas sans un écho avec la nôtre.

— Dis-moi, Nathalie, tu ne crois quand même pas que ta fille ne veut plus te voir pour toute la vie ?

— Pourquoi tu me dis ça ?

— Car tu penses à Élise quand tu me parles de Cloé.

— Tu as raison. C'est dur quand même de la sentir si loin.

— Mais cela n'a rien à voir avec Tanguy ! Tu n'as pas eu de mots blessants à son intention !

— Je ne sais pas...

— Eh bien, moi je sais, et je t'assure qu'il faut juste que tu lui laisses un peu de temps. Ce n'est pas si facile de trouver sa place à l'ombre d'une mère comme toi.

— Mais moi je ne fais pas d'ombre. Je n'ai cessé d'être une mère aimante et de vouloir donner le meilleur.

— Justement... Il y a un moment où un enfant, s'il veut affronter le monde en pleine possession de ses moyens, doit échapper à l'officier de sécurité qu'est sa mère, ou son père...

— C'est quoi un officier de sécurité ?

— Ce sont ceux qui accompagnent les chefs d'État ou les ministres. Des hommes en civil qui sont toujours à côté d'eux et qui veillent à ce que rien ne leur arrive de désagréable.

— Je vois. Parfois ça ne les empêche pas de se prendre un œuf dans la figure...

— Oui... Avec Élise, il faut que tu lâches prise et que tu la laisses revenir d'elle-même. C'est d'abord à toi qu'elle veut prouver qu'elle peut devenir une femme complète, libre mais aussi autonome, capable de recevoir autant que de donner. Jusqu'alors elle n'a pu que recevoir de toi. C'était un peu déséquilibré.

— J'accepte tes arguments mais avoue que c'est difficile quand même !

— Ça pourrait ne pas l'être. Il ne dépend que de toi de regarder l'oiseau qui s'envole, ou la cage vide...

Jacques

Les méditations
du promeneur solitaire

Chaque jeudi, je reçois les cartons de livres qui vont venir alimenter ma librairie.

Il y a ceux que j'ai commandés mais aussi tous ceux qui font partie de l'office.

L'office est un système inventé par Louis Hachette au XIXe siècle, qui régit encore l'approvisionnement des librairies. Le principe est simple, il consiste à s'engager contractuellement avec les éditeurs à recevoir leurs nouveautés, mais avec la possibilité de les leur retourner au plus tôt trois mois après leur parution et jusqu'à douze mois. Cela génère une importante manutention car un bon tiers des livres ne font que passer sans trouver leurs lecteurs. En revanche, cela permet au libraire de ne pas prendre le risque financier d'acheter des livres qu'il ne vendrait jamais.

Ce principe donne à chaque nouveauté, pendant une année, la chance de devenir une référence qui fera alors partie du fonds de la librairie, au-delà de ses premiers pas. C'est parfois cruel, car nombreuses sont les publications qui ne dépassent pas leur premier anniversaire.

Pour un auteur à qui il a fallu des années de gestation avant que naisse son livre, c'est souvent très déprimant.

Pourtant, même les Musso, Gavalda et autre Rowling sont passés par ces épreuves avant de connaître le succès.

Le jeudi matin est un jour de fête car je déballe mes cartons comme une enfant ouvrirait ses cadeaux le matin de Noël.

Je fais alors trois piles : ceux qui vont immédiatement rejoindre les rayonnages car je les connais déjà, ce sont des essais ou des livres pratiques qui ne nécessitent pas obligatoirement mon expertise auprès des lecteurs ; ceux qui m'ont été commandés et que je garde en dessous de la caisse pour les donner à leurs acheteurs, et les romans que je ne connais pas et dont l'avenir dépendra beaucoup de mon envie de les conseiller, ou pas...

Ce sont ces derniers qui sont mes préférés. C'est la malle aux trésors ! Parfois aussi aux déceptions, quand un auteur que j'ai beaucoup aimé me déçoit avec un livre qui me tombe des mains.

Comme je ne peux lire tous ces livres en une journée, ils rejoignent la vieille table de ferme en bois où trône le petit panneau « Nouveautés ».

Il y en a dont la couverture me séduit immédiatement ou dont les critiques ont déjà parlé avec tant d'éloges que je ne peux résister à l'envie de lire la première page.

Je vis alors un moment unique que j'ai dénommé l'« incipit kiss ». *Incipit* est un terme latin qui signifie les premiers mots, la première phrase d'un texte. Certains *incipit* sont des chefs-d'œuvre et vous lancent dans la lecture comme une catapulte d'émotion, d'intelligence ou de mystère. D'autres vous laissent de marbre.

L'*incipit kiss*, c'est le premier baiser... Salé, sucré, doux, amer, mou, fougueux, révolté, arraché, volé, frappé, caressé, sensuel, exotique, glacial, emmitouflé, vif...

La première impression. Très souvent, c'est la bonne.

Souvent, mais pas toujours !

Il faut parfois laisser le temps à l'amant qui embrassait mal d'apprendre, pour, parfois, devenir un expert...

Ce matin-là, j'avais ouvert *Voyage avec l'absente*, le dernier livre d'Anne Brunswic...

« L'enfance est une forêt obscure, bruissant de murmures inquiétants et de messages indéchiffrables, peuplée de milliards de bêtes dont la plupart s'avéreront inoffensives pourvu qu'on ne dérange ni leur sommeil, ni leur digestion, tandis que d'autres se montreront féroces, les plus grosses n'étant pas les plus à craindre, peuplée aussi d'ogres, de jeteurs de sorts, de braconniers, de maraudeurs. »

Magistral *incipit*. En une phrase, certes longue, une destinée, une ambition, et la certitude que l'écriture sera osée et tumultueuse. Les mots résonnent déjà à mon esprit telles les vagues des grandes marées à Crozon.

Je me suis souvent dit qu'il y aurait une étude passionnante à mener en suivant le parcours d'un lecteur dans une librairie. Avec une caméra cachée, il faudrait filmer tous ses gestes. Les livres à peine regardés, ceux qui ont été pris en mains, parfois ouverts ou dont seul le dos de la couverture a été lu, avant d'être reposés !

Interroger le client sur ce qui l'a conquis ou détourné après un premier geste d'intérêt.

L'illustration de couverture est primordiale, certainement aussi les mots écrits au dos qui parfois sont un résumé ou juste un extrait.

Je crois à la très grande importance de la sensualité de l'objet. Le lecteur qui va passer plusieurs heures au contact du papier doit avoir du plaisir ; celui de la page que l'on frotte entre deux doigts avant de la tourner, de la couverture que l'on caresse comme de la soie, de la tranche que l'on peut poser devant ses lèvres sans se couper au fil des feuilles.

On doit pouvoir se coucher nu sur du papier comme dans les draps d'un lit qui ont séché au vent et au soleil !

Je ne suis pas sûre qu'il y ait beaucoup de plaisir à se coucher sur une tablette numérique...

Pour moi, remplacer tous les livres par un unique objet où l'on pourrait lire toutes les histoires, c'est un peu comme supprimer tous les aliments mais aussi leur présentation dans l'assiette pour ne proposer que des gourdes jetables à boire où il y aurait marqué « cerises fraîches », « cassoulet », « chocolat aux noisettes » ou « tarte au citron meringuée »...

Je m'interroge aussi sur les mots qui naissent d'un écrivain tapant sur son clavier, ou dont l'encre trace son chemin sur le papier, parfois glissante, creusant son sillon ou l'effleurant à peine.

Est-ce que les mots des hommes n'ont pas changé avec l'avènement des ordinateurs... Hugo, Lamartine ou Stendhal auraient-ils écrit la même chose sur un clavier ?

L'homme est entré dans la librairie sans que je m'en rende compte, en silence.

Pourtant, la porte est équipée d'une clochette.

Je devais être absorbée par les cartons que j'ouvrais ou prise dans la lecture de l'*incipit* de Brunswic.

Quand j'ai relevé la tête, il était devant moi, me tendant *Cinq méditations sur la beauté* de François Cheng.

Il n'était pas très grand.

J'avais du mal à lui donner un âge, en tout cas il n'était vraiment pas jeune. Une barbe, assez longue et fournie, tout comme ses cheveux, longs et denses, témoignaient que le temps était déjà un peu passé dans la vie de cet homme.

À ses pieds, un sac à dos. Un très grand sac à dos où était accroché un duvet dans sa housse.

Il avait de beaux yeux bleus, très vifs et malicieux, dont l'expression semblait toujours sourire un peu.

Il me faisait penser à Georges Moustaki, mais il lui manquait une guitare.

— Bonjour, madame, je m'appelle Jacques, je voudrais vous louer ce livre.

— Bonjour, je suis désolée, mais je ne fais pas de location de livre.

— Alors je vais vous l'acheter, mais si vous le voulez bien, je vous le rendrai quand je l'aurai lu.

— Quelle drôle d'idée. Offrez-le donc !

— Je ne connais personne à Uzès. Comme vous le voyez à mon sac à dos, je suis un marcheur, un pèlerin pour être précis. Je suis parti il y a près d'un mois de Saint-Jacques-de-Compostelle, et je me rends au Mont-Saint-Michel. Seulement, depuis deux jours une forte douleur au mollet m'a contraint à aller voir un médecin qui m'intime l'ordre de cesser de marcher durant trois semaines si je veux atteindre un jour le Mont-Saint-Michel sur mes deux pieds. Me voici donc condamné à rester à Uzès durant tout ce temps, en marchant le moins possible.

— Il y a pire punition, Uzès est une magnifique ville.

— Oui, je le constate déjà. Cette place est somptueuse ! Je vais donc consacrer mon temps à la lecture mais je ne souhaite pas charger mon sac à dos des livres lus durant cette halte. Voici ce qui justifie ma demande.

— Je comprends. Mais je suis bien embarrassée.

— Ne le soyez pas et dites-moi donc combien je vous dois pour ces méditations de Cheng. Je voudrais aussi que vous m'indiquiez où dormir dans un hébergement qui ne soit pas loin de la librairie et pas trop luxueux.

— Je vous conseille d'aller chez Patrick, rue de la Grande-Bourgade. À cette saison, il ne doit pas être au complet. Il dispose de chambres d'hôtes sympas à des prix très corrects.

Jacques repartit en boitant, avec son gros sac à dos, vers la rue de la Grande-Bourgade.

Plus tard, en quittant la librairie, je pris avec moi un livre sur la table des nouveautés : *L'Hôpital maritime* de Pascal Ruffenach.

À raison de deux ou trois par semaine, je parvenais ainsi à me faire une idée des livres dont les critiques n'avaient pas parlé.

Mes préférés avaient droit à un petit post-it de couleur que je posais sur leur couverture. La table des nouveautés était alors ornée de banderilles colorées où de courtes invitations pouvaient attirer le regard du lecteur :

« Avant de prendre la route vers Saint-Jacques-de-Compostelle » était écrit sur un post-it bleu accroché à la couverture d'*Immortelle randonnée* de Rufin.

« Une douce mélancolie » sur un post-it rose pour *La Vie d'une autre* de Deghelt.

L'Hôpital maritime de Ruffenach eut droit à « Méditation marine à propos de la fin de vie ».

Ce livre est un peu un OVNI. On ne sait rien de l'histoire qui a conduit un homme à venir vivre ces derniers jours dans cet hôpital en bord de mer. Pas de précision sur le littoral concerné, non plus que sur les noms des personnages. Tout n'est que l'expression d'un ressenti déshabillé de tout artifice. Les phrases elles-mêmes sont courtes. Peu de mots, pas de fioritures, mais un rythme accompagné par une écriture poétique et sensible. Un rythme qui épouse la vague qui vient puis se retire, accompagnant la marée montante, puis celle qui découvre l'estran.

J'aime vraiment l'écriture de Ruffenach, et j'ai le sentiment que l'épure littéraire dans laquelle il excelle correspond pleinement à la quête de formes plus sobres, voire ascétiques, que plébiscitent les lecteurs.

Dès le lendemain de son emprunt, Jacques vint me rendre le livre.

— François Cheng est vraiment un grand philosophe. Je sais qu'il vient de publier les *Cinq méditations sur la mort*, mais je n'ai pas encore très envie de me préparer à cette échéance. Par contre, j'avais vraiment besoin d'être accompagné sur le chemin de la beauté !

Ses yeux gardaient leur sourire, et, comme je savais qu'il ne manquait pas de temps, je poursuivis l'échange...

— Pourtant, sur le chemin depuis Saint-Jacques, vous avez dû en voir des belles choses !

— Certes, vous pensez aux églises et aux paysages, aux lumières, aux oiseaux et aux grands arbres ?

— Oui, je pense à tout cela.

— J'ai vu tout cela, mais, comme le dit Cheng, il y a une forme de conformisme à trouver cela beau. Nous sommes conditionnés à apprécier un grand arbre ou un soleil couchant, un vitrail de Soulages dans l'abbatiale de Conques ou un tympan orné au-dessus de la porte d'une chapelle. Mais est-ce que profondément, au cœur de nous-même, nous trouvons notre propre chemin vers la beauté ? Répétons-nous, après des millions d'autres, que la Joconde est un chef-d'œuvre ou est-elle *notre* chef-d'œuvre, celui qui nous bouleverse et parle à notre histoire ? Ce que j'ai trouvé de vraiment « beau » en venant de Saint-Jacques, c'est le chemin. Le chemin lui-même. Ce chemin marché par tant d'autres avant moi et où je posais mon pas, pression nouvelle sur la terre meuble. Un pas qui faisait rouler cette petite pierre, auparavant bousculée par un autre croquenot de pèlerin. J'aime ce caillou. Je n'étais qu'un parmi tant d'autres avant moi et tant d'autres après moi, mais j'étais dorénavant un peu artisan du chemin. Avec toute l'humanité, mais aussi avec mon unicité.

— Merci pour cette méditation ! Je m'appelle Nathalie.

— La « Nathalie » de Bécaud était de la place Rouge, vous êtes celle de la place aux Herbes... C'est un plaisir de partager. Cela aussi, c'est le chemin qui me l'a appris. Je croyais que j'allais marcher seul de Saint-Jacques à Saint-Michel mais je n'ai jamais cessé de rencontrer d'autres marcheurs, ou des hôtes accueillants lors des haltes.

Jacques me tendit *La Cause humaine* de Patrick Viveret.

— Voici mon livre du jour. Je vais le lire à la terrasse qui se trouve sur la place. Au soleil.

— Alors je vous le prête.

— Mais vous n'êtes pas une bibliothèque !

— Pour vous si...

Le lendemain, mon clochard céleste me ramenait le livre dans lequel il avait glissé un marque-page réalisé avec une tresse de feuilles de bambou.

— Vous avez oublié votre marque-page...

— Gardez-le. Il est décoiffant cet économiste philosophe ! Si je l'avais lu bien plus tôt, je n'aurais jamais animé mes équipes comme je l'ai fait. Viveret a raison. La compétition est un leurre. Elle use les hommes sur le ring du pouvoir. Il existe un jour où même celui qui a toujours vaincu se fait mettre au sol. Il y a un vrai enjeu à promouvoir la coopération comme une vraie alternative à la compétition. Je n'ai cessé de mettre l'homme au service de l'économie et non l'inverse.

— Vous avez dirigé une entreprise ?

— Oui, mais cela n'a plus d'importance... L'essentiel n'est pas là. J'ai été l'archétype décrit par Viveret. J'allais d'excitations en dépressions. Un peu comme ces familles qui entrent dans une grande surface avec leur Caddie, le remplissent à ras bord en répondant positivement aux offres fluo des promotions et têtes de gondoles qui leur vantent tout ce dont elles n'ont pas besoin, et tombent en dépression après le passage à la caisse, réalisant l'argent dépensé mais qu'elles n'ont pas... La sérénité, c'est autre chose. C'est ma quête... Simplement apprécier ce que l'on a, sans pleurer sur ce que l'on a perdu ou rêver de ce que l'on n'a pas encore. Je viendrai vous reprendre un livre demain car ce soir c'est cinéma ! J'ai découvert que vous avez une salle d'art et d'essai exceptionnelle pour une si petite ville ! Je vais voir *Blancanieves*, un film muet en noir et blanc !

— Eh bien, bon film !

— Vous ne voulez pas venir avec moi ? Je vous invite, en échange du livre que je lirai demain.

— Euh, non. Merci.

— La religion des libraires dit qu'elles n'ont pas le droit d'aller au cinéma avec leurs clients ? Vous n'avez rien de prévu, n'est-ce pas, ce soir ?

— Comment le savez-vous ?

— Une intuition. Vous savez, je serai sage. À seize ans, je regardais peu les films pour embrasser ma voisine, mais aujourd'hui j'ai un peu passé l'âge...

— Alors d'accord !

C'est comme cela que nous sommes allés voir ce merveilleux film : *Blanche-Neige* transposé dans l'univers de la tauromachie sévillane ! La musique vous accompagne tout au long d'une histoire portée par des images en noir et blanc à couper le souffle. Un vrai conte onirique que Jacques et moi avons apprécié tous les deux.

Le milieu de la tauromachie exacerbe les passions, fascinant les uns et révoltant les autres. Il y a de nombreux aficionados dans notre région qui ne rateraient pour rien au monde les ferias de Nîmes ou d'Arles. Pour ma part, la seule chose que j'aime dans la corrida, ce sont les affiches qui les annoncent. Bien souvent elles sont composées en rouge, noir et or. Certaines sont de vraies œuvres d'art.

Trois belles reproductions signées de Mariano Otero décorent la cuisine de la maison. Je suis sensible à ces lignes marquées et aux courbes à la fois viriles et sensuelles. Pour le reste, j'ai le sentiment que la foule qui se presse aux arènes cherche un exutoire pour exprimer une pulsion violente étouffée derrière les bonnes manières du quotidien. Lorsque j'étais étudiante, j'ai eu l'occasion de me laisser entraîner au stade pour assister à des matchs de foot où j'avais du mal à reconnaître mes amis tellement leur mue était rapide dès qu'ils s'asseyaient dans les gradins. Je ne crois pas que tout cela soit vraiment à la gloire de l'homme...

Le lendemain de notre soirée au cinéma, j'avais apporté à la librairie un fauteuil en toile.

Il pleuvait, et je m'étais dit que mon marcheur philosophe ne pourrait aller sur une terrasse et qu'il me tiendrait compagnie durant ce jeudi bien gris où je n'espérais pas foule à la librairie.

J'avais posé sur le fauteuil un livre d'Alain Cugno : *La Libellule et le Philosophe*.

— Bonjour, Jacques.

— Bonjour, Nathalie.

— Je vous ai réservé un petit coin, et un livre qui pourrait vous plaire...

— Comme c'est gentil ! Voilà que vous devenez mon guide littéraire !

— C'est parce que je vous ai écouté. Alain Cugno enseigne au Centre Sèvres. C'est un catholique. Mais un catholique écolo ! Ce livre raconte comment il a dû travailler pour réconcilier le philosophe et le naturaliste qui vivaient en lui.

— Très intéressant.

Jacques se mit à lire en silence. À deux reprises, il s'endormit un court moment avant de reprendre sa lecture. Je pensais à mon père. Lui aussi s'endormait en lisant dans son bon fauteuil. Dans ces moments-là, je le trouvais fragile et j'avais envie de le prendre dans mes bras. Elle est bien différente l'image paternelle que l'on a quand on est jeune et quand nos parents vieillissent. La force cède la place à la vulnérabilité, l'assurance au doute, et celui qui vous donnait la main pour apprendre à marcher a besoin de la vôtre pour accompagner son pas.

Jacques acheva son livre par un propos à voix haute qu'il semblait adresser à lui-même :

— Je n'ai trouvé ce que je cherchais que quand je ne le cherchais plus.

— Pardon ?

— Oh, rien. Quelle grâce ces libellules ! Il est vrai que l'animal sauvage, quelle que soit sa taille, se donne à voir à celui qui sait l'attendre sans pour autant le traquer. C'est un cadeau qu'il nous fait librement, il nous offre l'émotion d'un moment totalement gratuit. J'aime le monde animal. Comme le dit Rilke, l'animal vit dans un monde ouvert. Son élan vital n'est pas limité par l'idée de mort dont il n'a pas conscience. Il vit, simplement, sans le grand gouffre ténébreux d'en face qui obnubile bon nombre de nos contemporains et m'a obsédé aussi. Heureusement que l'on m'a fait découvrir Rilke car il offre une alternative au nihilisme en nous invitant à vivre notre existence dans un double royaume composé de la vie et de la mort. L'un ne pouvant exister sans l'autre, il nous invite à les conjuguer dans l'instant à vivre, au présent. Je m'attache chaque jour à suivre cette invitation et je constate que les morts habitent autant ma vie que les vivants. Qu'ils m'intègrent dans la destinée humaine, à ma petite place, mais à toute ma place.

— Je peux vous demander pourquoi vous allez au Mont-Saint-Michel ?

— Parce que je me suis converti il y a peu et que j'ai de nombreuses fautes à expier. Comme ces enfants qui, au Moyen Âge, partaient au Mont pour racheter les fautes de leurs pères.

— Ah. Vous êtes devenu chrétien.

— Non, ça je l'étais déjà, même s'il y avait une grande part d'héritage dans ma religion. Je suis devenu écolo ! Et le Mont-Saint-Michel est un symbole évident de la relation entre nature et spiritualité. J'ai dirigé une grosse entreprise de chimie. Très grosse. Très polluante. J'ai long-temps été « le diable » des écolos comme me disait ma fille.

Je vis une ombre dans le regard de mon PDG en guenilles.

— Vous avez des enfants ?

Il ne répondit pas à ma question et poursuivit :

— Vous savez qu'au Mont-Saint-Michel ils ont décidé de démolir la digue qui reliait le Mont au continent. Ils se sont rendu compte que c'était à cause d'elle que la baie s'ensablait. Si rien n'avait été fait, le Mont-Saint-Michel aurait un jour trôné au milieu des pâturages et des moutons, perdant alors son insularité. Or c'est ce caractère maritime qui lui donne son caractère spirituel. Le pèlerin qui veut rejoindre le Mont doit quitter la terre, puis traverser la mer et les courants qui peuvent l'emporter, avant de monter vers l'archange Michel, là-haut vers le ciel. Entre terre, ciel et eau, le Mont est unique pour évoquer la nature. Il est aussi le seul endroit en France où la puissance publique a accepté de faire des travaux qui coûtent des dizaines de millions pour réparer son erreur ! Vous comprenez ?

— Bien sûr que je comprends. Je n'avais jamais vu cela ainsi. Alors en réalité, marcher vers le Mont est bien un pèlerinage pour le XXIe siècle !

— Connaissez-vous Gaël Giraud, Nathalie ?

— Oui, le jésuite économiste qui dénonce le pouvoir de la finance ?

— C'est cela. Auriez-vous son dernier livre ?

— Je crois.

— Alors je vous l'achète.

— Non, je vous le prête, et un jour où il fera beau, vous m'inviterez à manger. Je n'ai pas si souvent la chance de parler à un philosophe itinérant, et je souhaite profiter au maximum de votre halte forcée pour continuer nos échanges.

Jacques alternait les lectures à la terrasse des cafés de la place et celles dans la librairie.

Il relut *Big Sur*, le livre de Kerouac, ce grand frère de tous les hippies, et Rousseau dont il redécouvrit des propos dont il n'avait pas perçu la portée étant jeune. Je lui fis connaître Thoreau, poète philosophe, partisan d'une écologie assez radicale où l'homme pouvait être parfois considéré comme la bête à abattre.

Je voyais les jours passer et je savais que Jacques allait bientôt reprendre sa route.

Je considérais sa présence comme un privilège. Des moments rares partagés qui se poursuivaient chaque jour, et dont souvent l'étincelle initiale provenait d'un livre.

Chaque dialogue est intrinsèquement porteur de création, comme de destruction. Les idées viennent, naissant à l'instant où l'autre nous parle. Quelques minutes auparavant, l'intention même n'existait pas.

Les mots écrits, puis lus, parlés et écoutés peuvent changer un destin.

Il y a des livres qui sont faits pour cela. On les trouve au rayon « Développement personnel ». Leurs lecteurs y cherchent des chemins, parfois des voies spirituelles, souvent des recettes pour un bonheur « prêt-à-vivre ».

La simplicité me semble être un bon chemin. La vérité aussi. Il existe bien des libertés auxquelles on n'accède que lorsque la vérité et la simplicité se conjuguent.

C'est cela qu'incarne Jacques.

Je percevais, au travers des livres qu'il lisait, où se situait sa quête. Les livres sont comme des épices, ils relèvent nos jours, non pas en nous renvoyant à notre condition ordinaire mais en nous permettant de souligner combien chacun peut trouver dans sa vie un espace où développer son désir de joie, d'amour, de paix, d'aventure.

À l'image de ceux qui sont capables d'identifier quelle rencontre a changé leur vie, avec un peu de réflexion, il est aisé de lister les livres qui ont été des repères, comme des cairns sur notre chemin. Parfois repères rassurants sur un sentier où l'on se croyait égaré, d'autres fois invitations à changer d'orientation, voire à effectuer une conversion.

Je voulus faire profiter Nathan de ma rencontre avec Jacques, et proposai à ce dernier de venir dîner à la maison le samedi soir, mais il déclina mon invitation.

— Je me couche avec le soleil et me lève avec lui. C'est mon rythme de marcheur. Je n'avais pas perçu à quel point je pouvais être à l'unisson de la nature, et donc de la vie, depuis que j'ai fait le choix de suivre cette horloge naturelle.

— Alors venez dimanche, pour déjeuner.

— Volontiers, si vous acceptez que je me rende à la messe auparavant, je serai là vers 13 heures.

Même si je savais que Jacques était chrétien, j'ai été surprise à l'idée qu'il participe au culte dominical. Tant de catholiques considèrent cette pratique comme optionnelle que j'ai le sentiment que seules les messes de Pâques, Noël et de la Toussaint les rassemblent encore.

Quand Jacques arriva à la maison, il portait dans ses bras un magnifique bouquet de mimosa. Il l'offrit à Nathan avec ce commentaire :

— Permettez-moi de vous offrir des fleurs car j'ai prévu un petit livre pour Nathalie.

Il me tendit *L'Homme qui marche* de Christian Bobin. Le livre était corné, abîmé, sa couverture portait les stigmates d'une lecture fréquente, mais aussi ceux de l'humidité et de l'herbe sur laquelle il avait été posé, pages ouvertes à même la terre, tel un jeune novice prononçant ses vœux face contre le sol de l'église.

— Merci Jacques, c'est un très beau cadeau. Vous aviez donc un livre dans votre sac à dos !

— Oui. Deux pour être précis : celui-là et *Vingt Poèmes d'amour* de Neruda que m'avait offert Francesca, ma femme.

Nous avons passé un déjeuner hors du commun. Pas seulement parce que j'avais particulièrement bien réussi mon tajine d'agneau aux abricots mais aussi car nous avions rarement rencontré un homme dont la sagesse était proportionnée à la douleur des expériences qu'il avait pu traverser.

C'est une petite phrase de Malraux qui était épinglée sur le bureau de Nathan qui avait lancé notre échange : « Une vie ne vaut rien, mais rien ne vaut une vie. »

— Pourquoi cette citation est-elle ainsi en exergue sur votre bureau ?

— Ce n'est pas moi qui l'ai écrite mais Guillaume, notre fils. La vie ne l'a pas épargné car il a été très malade lorsqu'il était plus jeune. Souvent nous désespérions et c'est son sourire qui nous faisait tenir. Nous n'avions pas le droit de cesser de nous battre tant que lui-même n'était pas vaincu. Lorsqu'il a été guéri de son cancer, il est parti en Écosse. C'est la carte qu'il nous a envoyée.

— Putain de cancer !

Je fus surprise d'entendre ces mots dans la bouche de Jacques qui parlait toujours avec une qualité de vocabulaire et une élégance qui traduisaient son éducation et son souci du mot juste.

Je compris que le cancer faisait partie de notre expérience commune.

— Votre femme ?

— Pas seulement. Je vais vous raconter.

— Ne vous sentez pas obligé.

— Ce n'est pas un souci. Ce n'est plus un souci pour être exact. Je vis désormais dans les deux royaumes bien mieux que lorsque je n'osais m'approcher du second, comme s'il était contagieux. Ma femme a été atteinte d'un cancer du sein. C'est aujourd'hui très banal et on le soigne de mieux en mieux, mais Francesca avait un type de cancer qui n'épargne jamais le malade. Elle avait trente-cinq ans. À sa mort je me suis engouffré dans mon travail pour oublier celle que j'aimais. Aujourd'hui je sais que nous rendons immortels les gens que nous aimons et que la mort véritable ne vient que de l'oubli. Francesca et moi avons eu une fille, Jade. Malgré l'entreprise, j'ai toujours été attentif à Jade. Je crois avoir été présent pour les moments importants et avoir veillé à ne pas sacrifier mes week-ends avec des dossiers que je m'interdisais de ramener à la maison.

À vingt-deux ans, Jade a fait des examens et découvert qu'elle était atteinte du même cancer que sa mère. Elle a décidé de ne pas se soigner et de vivre chaque instant tant que le souffle la portait. C'est avec elle que je me suis initié à la philosophie car elle était étudiante à la Sorbonne. C'est grâce à elle que la spiritualité est entrée dans ma vie et que je vous parle aujourd'hui avec le sourire d'un homme en paix. J'ai cessé mon activité professionnelle et vendu la maison où nous vivions à Versailles, comme celle que nous possédions en Provence. Toute ma fortune a été versée à Greenpeace. Même si nous ne savons pas tout, nous en savons assez pour incriminer la chimie comme étant à la source des maladies nouvelles qui ne cessent de croître depuis le siècle dernier. Nous avons quitté Versailles avec Jade un 1er mars. À pied, chacun avec notre sac à dos. Direction Saint-Jacques-de-Compostelle. Nous savions que les forces de Jade s'en allaient et qu'il y avait un risque que nous ne parvenions pas tous les deux à Saint-Jacques. C'est dans l'Aubrac, sur ce grand plateau où la terre semble suspendue dans l'infini du ciel que nous nous sommes arrêtés. Le souffle de Jade manquait pour avancer davantage. Nous avons trouvé un gîte dans une ancienne ferme. Une immense pièce s'ouvrait sur les prés. Rien n'arrêtait le regard. Un homme bon, médecin par ailleurs, mais qui était avant tout un homme bon, accepta d'accompagner les derniers jours de Jade pour soulager sa douleur avant son départ. Un matin, les narcisses fleurirent dans les prés devant la ferme comme si le signal était donné à toutes ces fleurs blanches qu'il était temps d'ouvrir les portes de l'été. Ce jour-là, Jade sortit dans l'herbe, pieds nus, et s'écroula dans mes bras.

Jacques parlait d'une voix calme. Ses yeux gardaient leur vivacité et leur joie malgré les larmes qui coulèrent à l'évocation de la mort de sa fille.

— Depuis, chaque jour, je n'oublie jamais que la graine ne peut grandir sans un sol nourri d'humus. Que la vie ne peut naître que de la mort. Que j'ai été fleur, puis fruit, et qu'un jour je chuterai au sol, comme Jade.

Nathan prit les mains de Jacques dans les siennes comme en remerciement. J'étais certaine qu'il venait de faire un grand pas au contact de cet amoureux des livres et de la vie.

Après avoir raccompagné Jacques, je retrouvai Nathan assis sur la terrasse face à la garrigue, sans rien faire. Ce qui n'est pas son habitude.

Je m'approchai de lui et vis alors que des larmes coulaient sur ses joues.

Les larmes de Nathan sont rares. Ce n'est pas de l'insensibilité mais davantage une pudeur issue de son éducation.

J'hésitai quant à l'attitude à adopter.

Me taire me sembla le plus pertinent. Je ne voulais pas appeler de justification en l'interrogeant sur la raison de sa tristesse, mais plutôt le laisser vivre ce moment sans interrompre une pensée qui venait de loin.

L'homme qui pleure est un homme vivant, tout autant que celui qui rit !

Je m'assis à côté de lui, légèrement en retrait, la main contre son dos.

J'étais là.

Vingt bonnes minutes passèrent avant que Nathan rompe le silence.

— Tu sais, Nathalie, mon père... Je ne lui ai jamais dit que je l'aimais. Il est parti brutalement sans savoir que je lui étais reconnaissant d'avoir été le père qu'il a été. Depuis cinq ans, il me manque car il était celui à qui je pouvais tout dire. Les parents sont les seuls à aimer inconditionnellement. Depuis qu'il est parti, je prends le vent en pleine face et j'essaye d'assurer mais certains jours je trouve cela difficile. Je sens bien qu'avant il y avait quelqu'un qui était encore un peu responsable de moi. Ne pas lui avoir dit que je l'aimais revient comme un éternel regret, une cicatrice qui se rouvre, comme un silence qui hurle. Jacques parle si facilement de lui, de sa douleur et pourtant il est apaisé.

Je laissai le silence s'installer avant de parler à mon tour.

— Mon Nathan...

« Tu sembles découvrir que ce n'est pas parce qu'elles sont tues que nos pensées ne vivent pas en nous. Ton amour pour ton père, il l'a toujours senti car il préexiste à tes mots. Malgré tout, mettre des mots sur des pensées, puis dire ces mots, permet qu'elles vivent autrement. Partagées avec un autre, libérées du seul mental, nos pensées rejoignent le tissu déchiré, rapiécé, mais qui n'en reste pas moins la trame du monde. On ne peut bien partager que ce que l'on a suffisamment conscientisé, nettoyé des parasites de l'ego mais aussi des manteaux de soie ou des oripeaux dont notre histoire familiale et notre culture nous ont habillés. Jacques a fait ce long et profond travail. Il a fait remonter sa juste colère mais s'est sûrement aussi pardonné à lui-même tout ce qu'il n'a pu être. Aujourd'hui est un beau jour. Ce que tu ressens est désormais posé sur la table. Je suis avec toi à cette table. Dis-toi aussi que tu peux encore dire à ton père que tu l'aimes. Même si tu n'y crois pas trop, laisse donc le bénéfice du doute au fait qu'il t'entende...

— Tu m'apprendras à mieux dire tout cela ?

— Je serai là quoi qu'il arrive avec mon amour pour toi, mais ne crois pas que je ne sois pas moi aussi chaque jour en apprentissage de cette vie pour mieux être en paix avec moi-même. Tu vois bien qu'avec Élise je n'y parviens pas et que c'est toi qui trouves les mots pour m'aider.

— C'est peut-être ça un couple...

— Sans doute...

Le lendemain soir, j'offris à Nathan *L'origine de nos amours*. J'ai toujours admiré Erik Orsenna et l'ai suivi dans son épopée malienne avec Madame Bâ autant que lorsqu'il a mis sa plume au service d'une littérature militante, digne d'un grand reporter sur la route du coton ou du papier.

Orsenna n'a jamais écrit un livre aussi intime que *L'origine de nos amours*. De nombreux passages évoquent l'île bretonne de Bréhat, où se trouve la maison de famille des Arnoult (le vrai nom de l'académicien). Tout son récit est consacré à sa relation avec son père. Un dialogue qui ne se développe vraiment que lorsque l'un et l'autre acceptent de partager la façon qu'ils ont eu d'aimer les femmes de leur vie. L'auteur accorde une large place à l'analyse psycho-généalogique des handicaps amoureux des deux hommes.

Ce livre m'avait rappelé mon père. Les hommes de cette génération ont souvent du mal à exprimer leurs sentiments, à accepter de laisser la mer se retirer en laissant à découvert les rochers saillants de leurs émotions ; un estran marqué de flaques d'enfance un peu troubles ou de sentiments roulés par les vagues, devenus aussi durs que des galets. « Sois fort » est une injonction qui parfois, lorsque la vie avance, transforme les hommes en des scarabées au pas lent, ployant sous le poids d'une carapace jamais ôtée.

Mon père avait également en commun avec Erik Orsenna une référence littéraire majeure : *Le Rivage des Syrtes* de Julien Gracq. En effet, la cité imaginaire du rivage des Syrtes dans laquelle Gracq nous emmène au milieu des marais et des brumes de l'âme humaine s'appelle Orsenna. C'est elle qui a inspiré son pseudonyme à l'académicien !

Chez nous aussi, dans la maison de Chaumont, ce qui tenait lieu de bureau à mon père s'appelait

« la chambre des cartes », à l'image de celle que fréquente le héros de Gracq dans l'amirauté qui borde la mer des Syrtes. Dans cette chambre des cartes, mon père disposait de sa bibliothèque, où lui seul avait le droit de prendre ou de ranger un livre, mais c'était aussi l'endroit où il écrivait et où il se plongeait des heures durant dans la lecture de cartes de tous ordres.

C'est ainsi que je fus rapidement instruite, à la lecture des cartes marines comme à celles au 1/25e, tellement détaillées que mon père, sans avoir été forcément sur les lieux, était capable d'en tirer un récit de paysage, que mon imagination traduisait sans mal en images. Mon père collectionnait ainsi les cartes de pays où il n'irait jamais, simplement pour s'offrir des méharées sahariennes, des franchissements de cols himalayens ou des traversées mouvementées dans le Pacifique au large de la Patagonie.

Quelques jours plus tard, Jacques passait à la librairie pour me dire au revoir.

Nous nous sommes longtemps serrés dans les bras l'un de l'autre, avec un sourire qui illustrait la bienveillance qui avait guidé nos échanges.

Je lui avais préparé un livre.

— Voici les *Cinq méditations sur la mort – autrement dit sur la vie*. Vous vous souvenez que vous m'en aviez parlé lors de votre première visite en ne me citant pas la seconde partie du titre de ce livre ?

— Je me souviens. Peut-être un jour inventerons-nous un mot qui signifiera que la vie et la mort sont les deux composantes d'une même histoire. Une histoire linéaire autant que circulaire, où l'une et l'autre dialoguent dans une ronde éternelle.

Philippe

L'infatigable voyageur

J'aime le côté très cosmopolite de cette petite région de Provence.

Le métissage me semble être la plus belle chance de faire bouger nos frontières mentales.

Autour d'Uzès, il est toujours intéressant de découvrir comment chacun va s'approprier un morceau de territoire et le coloniser de ses goûts et de ses pratiques pour finalement le faire évoluer. Aujourd'hui, le visage du Gard est le résultat du côtoiement, parfois sans aucune vraie rencontre, entre ceux qui sont issus de la région depuis plusieurs générations et ceux qui l'ont choisie, souvent par amour.

Y en a-t-il qui ont plus de droits que les autres ? Celui qui n'a pas eu le choix de vivre ici est-il un meilleur défenseur de son territoire que celui qui en est tombé amoureux ? Ce débat anime toutes les communes rurales.

Les plus conservateurs peuvent être dans les deux camps. Les autochtones qui trouvent que l'on crée trop de festivals et d'équipements culturels ou sportifs à la seule intention des occupants des maisons secondaires, et ceux qui ont acheté une carte postale qu'ils voudraient éternelle et souhaitent que rien ne change.

Depuis longtemps les Suisses se sont installés ici car toute la région, de l'Ardèche aux Cévennes, a été un haut lieu du protestantisme.

Même si les pratiques religieuses ne sont pas plus fortes ici qu'ailleurs, la religion est un critère qui justifie encore que les listes municipales des petites communes soient toujours savamment composées en intégrant bien un représentant de chacune des deux religions chrétiennes.

Récemment, *The Guardian* a établi le « Top 40 » des lieux à visiter dans le monde. Uzès a obtenu la seconde place. Je dois dire que cela m'a plus inquiétée que réjouie. J'ai un peu peur que la place aux Herbes devienne une vitrine de cigales en céramique et de couverts à salade en olivier au détriment de nos producteurs locaux !

Dans ma petite librairie, j'ai bien l'intention de développer un peu plus les rayons en langues étrangères. Il y a de plus en plus d'étrangers, et donc de plus en plus d'acheteurs, même si je constate que bien des Allemands ou Hollandais qui s'installent ici parlent de mieux en mieux notre langue.

À l'heure où l'Europe est tant critiquée, j'ai du mal à me joindre au concert général car je perçois combien, avec le programme Erasmus, nous avons encouragé les jeunes générations à voyager, leur ouvrant ainsi l'esprit pour leur permettre de sortir des seules limites de leur environnement familial et de l'Hexagone.

Je n'ai pas connu plus grand voyageur que Philippe !

Il était passionné et passionnant, et jamais plus heureux que lorsqu'il pouvait partager avec d'autres ses récits de voyage…

La première fois que je l'ai rencontré, il revenait d'Argentine.

Il portait de très belles bottes de gaucho et un grand poncho rouge.

Son accoutrement était un peu voyant, surtout au début d'un printemps qui commençait avec de belles journées permettant déjà de dîner dehors. Mais Philippe n'est pas vraiment quelqu'un de discret.

— Bonjour, madame la libraire !

— Bonjour, monsieur, si je peux vous aider, n'hésitez pas.

— Mais certainement, je viens de m'installer dans votre belle région et mes voisins m'ont dit que vous aviez un joli rayon de livres de voyage. Je pars en Australie et voudrais me documenter avant mon départ.

— Quelle chance vous avez ! Je rêve d'aller en Australie. Ce doit être un superbe voyage ; même si c'est très loin !

— Il faut près de vingt heures pour rejoindre Sydney. Mais je n'y resterai pas car je loue une Range Rover et je pars directement à la rencontre des aborigènes.

— Fascinant…

— Les peuples premiers me passionnent, comme toutes les civilisations anciennes. Je reviens d'Argentine et de Bolivie, où j'ai passé plusieurs semaines sur les hauts plateaux, avec les Indiens. Quand on pense que les Incas ont détenu le plus grand empire d'Amérique latine et qu'en moins d'un siècle nous avons détruit leur civilisation pour mettre en place nos propres systèmes occidentaux pour quelques mines d'argent ou de lithium. C'est un peu désespérant ! Désormais, c'est le cours des matières premières, fixé à Londres, qui appauvrit ou enrichit ces pays au gré de nos spéculations.

— Vous voyagez donc beaucoup ! C'est pour votre travail ?

— Non, pas vraiment, j'ai la chance d'avoir beaucoup de temps. Alors j'en profite pour découvrir le monde. Et je ne suis pas près d'avoir fini ! Je ne connais que 49 pays sur les 207 que compte notre planète !

— Quarante-neuf ! Mais c'est déjà énorme ! Moi je n'ai voyagé que dans quelques pays européens et au Kenya, même si j'ai grandi au Maroc. Kipling disait qu'il n'y a que deux sortes d'hommes : ceux qui restent chez eux et les autres. Vous faites donc partie de la seconde et moi de la première.

Philippe était visiblement fier de l'effet qu'il produisait. Il n'était pas vraiment un frimeur, mais je sentais que nous aurions pu parler des heures et, comme il n'était pas mon seul client, il fallait que j'abrège un peu notre conversation.

— Je vous conseille *Le Chant des pistes* de Bruce Chatwin.

— Ah, pourquoi ?

— Vous m'avez bien demandé un livre de référence pour découvrir l'Australie ?

— Ah oui, où ai-je la tête... Bien sûr !

— Chatwin est un passionné des origines de l'homme. Il a aussi été en Afrique, puis il a rencontré des scientifiques, en particulier Konrad Lorenz, pour comprendre la relation de l'homme à son territoire. Son livre est très documenté car il met en perspective sa découverte de l'Australie avec ses recherches anthropologiques.

Philippe en profita pour acheter le guide Gallimard consacré à l'Australie et me remercia pour mon conseil.

L'anthropologie fait partie des domaines qui me passionnent. Nathan dirait que, depuis que je suis libraire, de plus en plus de disciplines m'intéressent.

C'est un peu vrai. Un libraire lit beaucoup, et il lit d'abord de nombreuses critiques sur ce qui paraît. Une bonne critique donne envie de lire, même un livre qui aborde un domaine que l'on n'a jamais approché.

J'ai découvert l'anthropologie en lisant *Tristes tropiques* de Claude Lévi-Strauss. Il m'a donné le goût pour ceux qui me ressemblent le moins, qui viennent de loin, qui ne mangent pas comme moi, ne pensent pas comme moi, ne vivent pas comme moi.

Mon enfance au Maroc m'avait déjà donné ce goût de la différence.

Quand on a grandi à l'étranger, on intègre rapidement que celui qui est différent c'est soi-même… Cela induit une ouverture d'esprit et un postulat initial qui interdit toute arrogance et impose d'abord le respect de ce que l'on ne connaît pas, avant de développer une grande capacité d'adaptation.

Aujourd'hui, je trouve un peu affligeant de voir combien l'intolérance envers les étrangers, en particulier ceux qui viennent du Maghreb, se construit autour d'une liste anecdotique de ce qui fait nos différences, comme si celles-ci étaient davantage un risque qu'une chance. Comment les mangeurs de grenouilles, de Roquefort ou d'huîtres que nous sommes peuvent-ils être dérangés par ceux qui ne veulent pas manger de porc... Ceux qui mangent des huîtres vivantes, des fromages moisis ou les cuisses de grenouilles ne pourraient-ils pas être considérés comme les premiers des barbares... Heureusement que ce n'est pas ainsi que me regardaient mes amies à l'école de Rabat, sinon j'aurais été très malheureuse.

Parfois je me dis que les peuples de la Méditerranée ont davantage en commun que les peuples européens. L'histoire a décidé de privilégier la construction de l'Europe alors qu'il s'agit du territoire où sont nées les deux guerres qui ont embrasé le monde. Sans doute était-ce une manière de créer des liens pour empêcher que n'advienne un jour une troisième guerre mondiale. Dans la foulée, le mur de Berlin s'est effondré dans une ville qui était pourtant la Jérusalem européenne et cristallisait l'opposition entre l'Ouest et l'Est. Aujourd'hui l'Est commence en Ukraine...

J'aimerais qu'on s'attelle à la construction de cette fraternité méditerranéenne et qu'un jour cède à son tour le mur de Jérusalem.

Je crois que ce sont les artistes et les écrivains qui seront les meilleurs artisans de ce rapprochement. Ce sont eux qui ont une pensée d'avance et savent, au moins par la fiction, l'imaginaire et la symbolique, écrire, chanter et dessiner le monde à venir.

En allant à Marseille avec Nathan pour visiter le Mucem, j'ai été très émue. Je crois que ce musée, encore sur le sol de l'Europe mais le regard tourné vers la Méditerranée, est le plus grand pas qui ait été fait pour bâtir un pont solide entre les deux rives.

« La beauté sauvera le monde », disait Dostoïevski. Je pense que c'est vrai. Au nom de la beauté, l'opinion publique s'est davantage sentie concernée par la destruction des œuvres d'art syriennes que par les manœuvres de la diplomatie. Le beau parle au cœur et non à la raison. Il a donc davantage de chance de réussir.

Ce sont des trompettes qui ont fait chuter les murailles de Jéricho, c'est au tour des luths libanais, des cithares irakiennes, des guitares espagnoles et des violons marocains de jouer le concert qui réunira Jérusalem.

Je n'ai passé que quelques jours dans la ville blanche, mais j'ai ressenti par tous les pores de ma peau combien elle était l'épicentre du monde et que la terre ne sera jamais en paix tant que Jérusalem ne le sera pas.

Plusieurs semaines passèrent avant que la porte de la librairie s'ouvre à nouveau sur Philippe.

— Fantastique ! Quel pays l'Australie !

— Bonjour, monsieur. Il s'est donc bien passé votre voyage ?

— Appelez-moi Philippe, chère libraire.

« Oui, c'était merveilleux. J'ai été dans le désert occidental. Quelle chaleur ! Et j'ai fait de la plongée pour découvrir la barrière de corail. Magnifique ! Mais surtout j'ai suivi les traces de Chatwin, qui lui-même suivait d'autres traces, les fameuses « songlines », ce qui signifie les « pistes chantées ». Ce sont ces chants, transmis de génération en génération, qui forment la carte virtuelle de la destinée de chaque aborigène. Ces hommes ont une relation à la terre et à la nature totalement sacrée. Sur leurs chemins, l'arbre ou l'animal rencontré a autant d'importance qu'un autre homme. Mais leur nomadisme a facilité la tâche des Blancs qui ont littéralement colonisé sans aucun scrupule l'ensemble de leurs terres ! Un travail de réconciliation nationale a été entamé grâce aux excuses publiques formulées par le Premier ministre aux aborigènes en 2008. C'est important car il ne peut y avoir de paix sans pardon. Mais on ne peut pardonner que celui qui reconnaît sa faute. Désormais, c'est chose faite en Australie.

Philippe me racontait tout cela avec ferveur. Il portait un magnifique chapeau en cuir qu'il n'avait pas ôté en rentrant dans la boutique et apprécia que je le remarque.

— Mon voyage en Australie m'a donné envie de découvrir la Nouvelle-Zélande.

— Mais c'est très différent, je crois !

— Oui, sans doute, mais c'est toujours en Océanie !

J'étais surprise par la réaction de Philippe. Il semblait être totalement libre de ses mouvements et guidé par des désirs très spontanés.

— Qu'est-ce que vous avez comme livre venant de Nouvelle-Zélande ?

— La Nouvelle-Zélande est sans doute le seul pays au monde dont la littérature ait été d'abord une affaire de femmes. Je vous conseille un livre de Keri Hulme, *Les Hommes du long nuage blanc*. « Le long nuage blanc », c'est le nom que donnent les Maoris à ce pays. Mais si vous voulez préparer votre voyage, vous devriez surtout voir *La Leçon de piano*, c'est un magnifique film de Jane Campion, une Néo-Zélandaise qui a su parfaitement raconter les paysages de son pays et sa colonisation, au travers de l'histoire d'une famille.

— Je vais suivre vos conseils. Je ne sais trop où je vais me procurer ce film. Peut-être puis-je vous le commander ?

— Je suis désolée mais je ne vends pas de DVD. Si vous voulez je peux vous le prêter. Nous l'avons à la maison. Je vous l'apporte demain.

— C'est fort aimable.

Philippe partit avec le livre de Keri Hulme et le guide Gallimard sur la Nouvelle-Zélande.

Être libraire amène à connaître bien des choses sur ses clients. Je me garde toujours d'être indiscrète par mes questions car je le suis déjà beaucoup par la connaissance de leurs lectures. Peut-être que les libraires sont finalement un peu des voyeurs. Les livres sont la glace sans tain par laquelle ils peuvent découvrir leurs congénères. C'est particulièrement vrai dans une petite ville où l'on finit par connaître tout le monde. Je pense être capable de dessiner une carte émotionnelle très intime des habitants d'Uzès.

Pour mes quarante ans, Nathan m'a offert un étonnant document. Quand j'ai déroulé la grande feuille de kraft, j'ai cru au premier regard qu'il s'agissait d'un arbre généalogique. En réalité, c'était bien un arbre, mais au bout de chaque branche il y avait des couvertures de livres. Tous les livres que Nathan considérait comme ma bibliothèque idéale.

Sur les branches de gauche, les livres écrits par des hommes, sur celles de droite ceux écrits par des femmes.

Sur les branches les plus basses, les romans qui racontent des histoires contemporaines, sur les branches les plus hautes, ceux qui racontent des histoires bien plus anciennes.

Au plus près du tronc, les livres dont la France est le décor, au bout des branches, ceux qui se passent à l'autre bout du monde.

En regardant l'arbre, j'ai été frappée de constater combien le bout des branches était plus fourni que le long du tronc et le haut de l'arbre plus nourri que le bas. Finalement, mon arbre était très chargé en fruits à sa périphérie, bien moins qu'en son cœur. J'étais clairement plus sensible aux récits qui m'emmènent loin, que ce soit pour un voyage dans le temps ou au-delà des mers.

« Dis-moi ce que tu lis, je te dirai qui tu es. » Cet arbre des livres reflétait en réalité ma silhouette intérieure. Celui qui découvrirait cette représentation pourrait rapidement avoir une idée de qui je suis, de ce que je cherche. J'étais touchée que Nathan ait fait ce travail d'aller chercher à me raconter autrement qu'en mots.

Ceux qui vivent à nos côtés peuvent être ceux qui nous connaissent le mieux ou le moins bien. Par sa représentation, Nathan disait aussi comment il me percevait. Je me retrouvais dans ce portrait chinois arboré. Le risque d'un couple, c'est que chacun fige l'image de l'autre tel qu'il était à l'origine de la rencontre. Cela peut être à la fois très rassurant de considérer son partenaire comme un être immuable, aux défauts comme aux qualités éternelles. Mais c'est compter sans tout ce que chacun peut mettre en œuvre pour changer, mais aussi tout ce que la vie provoque d'adaptations subies ou joyeusement choisies.

Reconnaître l'autre dans son mouvement, c'est lui permettre aussi ce mouvement. Cela suppose parfois de l'accompagner. Un peu comme ces danseurs qui suivent le geste de leur partenaire sans que les corps se touchent. Ce n'est pas quelque chose de simple. Les mouvements peuvent parfois aller dans un sens où, soi-même, on ne veut pas, on ne peut pas aller. Certains couples parviennent à laisser de grands espaces libres pour des explorations propres à chacun, ne sentant pas de menace dans ces territoires explorés en solo. D'autres vivent mal ce qu'ils considèrent comme des chemins qui se séparent. Et c'est parfois vrai que l'on peut perdre un compagnon non pas parce qu'il a changé mais parce qu'il n'a pas changé alors que soi-même on devenait une autre.

Cet exercice de la liberté dans un couple est un subtil équilibre.

Prendre le temps de définir ce qui est important pour nous, ce qui l'a été mais ne l'est plus, ce que l'on veut voir advenir dans nos vies aide aussi à être conscient de nos mouvements.

Nathan l'a fait avec un arbre de livres, et je me suis dit que je pourrais essayer de le faire pour moi-même avec les mots importants de ma vie, jetés sur le papier, en vrac, avant de les rassembler en nuages, par analogies. Sans doute découvrirais-je alors sous quel ciel je vis.

Si Nathan le faisait pour lui-même, il serait intéressant de comparer nos ciels !

Je racontai à Nathan ma nouvelle rencontre avec ce lecteur voyageur. Il fut étonné que je propose de prêter un DVD à un client, car j'ai plutôt du mal à faire sortir de la maison mes livres et mes films qui, bien trop souvent, n'y reviennent jamais.

— Dis-moi, il t'a tapé dans l'œil ton baroudeur ? Il ressemble à Robert Redford ?

— Pas du tout. C'est un homme d'une cinquantaine d'années tout ce qu'il y a de plus normal mais dont la vie est une succession de voyages.

— Il doit être fortuné !

— Cela ne se voit pas. Mais il l'est certainement.

Philippe vint chercher *La Leçon de piano* et me le ramena deux jours plus tard, enthousiaste.

— Ce film est vraiment très beau. La présence de la mer est très bien rendue. J'ai mieux réalisé le caractère insulaire de la Nouvelle-Zélande. C'est tout de même particulier de vivre sur une île. Quelle que soit leur superficie, les îles transforment le caractère des hommes qui y vivent. Comme s'ils étaient un peu moins libres que les autres.

106

— Moi, je crois que ce sentiment n'est pas celui de ceux qui sont nés sur une île. Ceux-ci deviennent souvent de grands voyageurs car ils ressentent, plus que d'autres, le besoin d'aller ailleurs pour découvrir le monde.

« Avez-vous lu *L'Île* de Robert Merle ? Une belle illustration des enjeux qui surgissent quand des hommes et des femmes se retrouvent condamnés à vivre ensemble dans un espace limité par la mer.

— Où est cette île ?

— Quelque part en Polynésie.

— Je pourrais peut-être y aller en me rendant en Nouvelle-Zélande...

— Je ne pense pas que cela soit si simple. Même si le livre de Robert Merle est inspiré de l'histoire vraie des rescapés du Bounty, je ne crois pas qu'elle soit précisément située.

Philippe s'attarda longtemps sur les *Carnets de voyage* de Titouan Lamazou.

— Vous tenez des carnets de voyage, Philippe ?

— Oui, j'ai une boîte d'aquarelles qui ne me quitte jamais. Certains prennent des photos, mais je remarque souvent qu'elles remplacent leur mémoire et qu'ils sont incapables de raconter leur voyage sans leurs albums. Comme si la photo faisait écran à leur propre ressenti.

« L'aquarelle m'intègre au paysage, elle me permet d'en être, de l'intérieur. Je ne peux bien peindre que ce que j'ai pleinement regardé. Parfois, ce sont certains détails qui m'inspirent : un visage, l'ombre portée d'un bâtiment, un arbre. Par l'intermédiaire de mon pinceau, je deviens alors le visage, l'ombre ou l'arbre. Je suis ce que je peins.

— Vous me montrerez votre carnet de Nouvelle-Zélande ?

— Promis.

Je restai songeuse après le départ de Philippe. J'étais assez sensible à ce qu'il venait de dire.

J'ai mis longtemps avant de savoir vivre au présent, et pourtant, il n'y a pas d'autre temps à vivre que le présent... Le passé est parti, le futur, pas encore là. Si l'on ne vit pas le présent, on ne vit que de nos souvenirs et de nos attentes, avec le risque de la mélancolie et de la frustration.

Je ne me suis jamais beaucoup attardée sur le passé et n'ai jamais été nostalgique. Mais peut-être n'ai-je pas encore l'âge où la nostalgie pointe le bout de son nez.

En revanche, j'ai longtemps vécu avec comme seul moteur l'attente de ce qui allait advenir. Le dîner avec les amis du lendemain, le prochain week-end où nous pourrions aller à Crozon, le voyage de classe à Vienne que j'organisais pour ma classe de terminale, le jour où j'aurais un enfant, le jour où l'enfant saurait marcher, etc.

Quand advenait l'événement attendu, insignifiant ou de plus grande importance, je ne le vivais pas et il était chassé par le projet suivant.

Il ne s'agissait pas d'impatience, ni de boulimie.

J'avais conscience de ce mode de fonctionnement. Très rapidement Nathan avait détecté ce travers et m'avait dit un jour : « J'aimerais bien vivre avec la femme d'aujourd'hui et pas avec celle de demain car il y a toujours un après-demain qui remplacera demain alors qu'il n'y a qu'un seul aujourd'hui, et c'est maintenant ! »

Parfois il me saisissait entre ses mains en me secouant :

— Ohé Nathalie, tu sais où on est là ? Tu sens le sable sous tes pieds ? Tu vois les bruyères qui deviennent rouges avec le soleil du soir ?

Et puis est arrivé un jour, il y a une dizaine d'années, où il m'a tendu son carnet de croquis, l'a ouvert sur une page blanche et m'a donné son crayon à papier.

— Vas-y, dessine-moi ce que tu vois.

Nathan ne se balade pas sans un carnet de croquis et une toute petite boîte de couleurs. Souvent, il ne dessine qu'au noir, mais parfois il trempe un pinceau dans un verre et ajoute une ou deux teintes.

Sous l'étagère de mes carnets remplis de mots se trouvent les siens. Achetés au même endroit, dans une boutique dédiée aux beaux-arts du côté de Saint-Sulpice. Peut-être un jour, quand nous serons âgés, plus très mobiles dans nos chaises longues, pourrons-nous jouer à trouver la meilleure citation pour chacun de ses dessins...

Lorsque Nathan me tendit son crayon, nous étions à Crozon, devant notre bicoque, avec la mer comme horizon.

— Mais je ne sais pas dessiner !

— Peu importe, vas-y !

Je fis un grand trait qui traversa la page et lui tendis le carnet.

— Voilà, c'est la mer.

— C'est bien, mais ce n'est pas tout. Tu ne vois rien d'autre ?

— Ben non. Enfin, si, il y a le phare à droite.

Et je dessinai un phare comme je l'aurais dessiné au jeu du Pictionary.

— OK, mais encore...

— Écoute Nathan, c'est tout ce qu'il y a...

— Tu ne vois pas le bateau au pied du phare ?

— Si, bien sûr !

— Alors dessine le bateau. Et les deux voiliers devant la pointe de Dinan ?

— Oui, oui.

— Alors dessine-les aussi.

— Et le bosquet derrière la maison, et le muret qui borde la route, et les fougères qui longent le muret avec celle qui est plus grande que les autres, et le petit banc au bout du jardin sur lequel un oiseau est posé, et la bruyère qui est plus sombre vers la mer qu'à côté du bosquet avec ce grand espace rocheux où elle n'a pu pousser...

Ce jour-là, Nathan me donna une clé que je n'ai jamais cessé d'utiliser. Non pas celle du dessin, car je ne suis vraiment pas douée, mais celle qui permet de ne pas vivre un moment sans l'appréhender avec tous les sens qui me sont donnés.

Au début, cela a été un vrai exercice. Détailler ce que je vois, ce que j'entends dans mon environnement immédiat mais aussi les bruits les plus lointains, ce que je ressens sous mes pieds, les odeurs qui flottent dans l'air, ai-je chaud, ou froid...

Je me suis mise non seulement à mieux habiter mon corps mais aussi les lieux et les temps que je vivais.

Aujourd'hui, ce n'est plus un exercice, et je suis complètement à ce que je vis, comme à ceux avec qui je vis.

Vivre en pleine conscience est une injonction qui peut sembler à la mode mais dont je reconnais que l'urgence a augmenté avec l'accélération et la saturation du temps. En réduisant le temps de nos trajets, en annulant celui de la recherche d'une information, en multipliant les écrans qui nous attirent et nous relient au monde entier, nous avons fait naître un humain hyperconnecté sauf à lui-même.

Certains parviennent à garder un axe, sont en mesure de s'extraire du monde pour retrouver une forme de concentration, d'autres réalisent que ce qui les guide est une force centrifuge non identifiée.

À part pour celui qui est prêt à accepter les bonnes comme les mauvaises surprises, il n'est pas souhaitable de laisser son gouvernail à ce pilote automatique que nous ne connaissons pas.

Ralentir est le début du mouvement. Habiter le temps plutôt que lui courir après. Être à chaque chose pleinement plutôt qu'à de nombreuses incomplètement.

Je ne doute pas que Philippe, par le truchement de la peinture, puisse être bien davantage conscient de son voyage du bout de ses pinceaux que d'autres qui ont les pieds au bout du monde mais dont la tête n'a jamais quitté la France, nourris de messages reçus auxquels la réponse est immédiate, de photos partagées en temps réel, comme si le temps et les distances s'étaient ratatinés, compressés dans une nouvelle unité de mesure dont nous serions devenus l'objet.

Je revis Philippe un bon mois plus tard.

— Me voici de retour ! Si vous aimez les moutons et les grands espaces il faut aller là-bas. C'est vraiment un pays encore très tourné vers l'élevage. Savez-vous que *Le Seigneur des anneaux* a été tourné en grande partie en Nouvelle-Zélande ? Précisément dans le parc national de Tongariro où il y a un relief composé de volcans inactifs qui était très adapté aux décors de la terre du milieu.

— Je ne le savais pas. C'est là que vous avez acheté votre beau gilet en laine de mouton ?

— Oui, il est un peu chaud à cette saison !

« Mais regardez ce que je vous ai rapporté...

Philippe était venu avec un carton dont il sortit une étonnante aquarelle. Elle représentait une très belle plage battue par des eaux tempétueuses. Seul au milieu de la berge, un piano devant lequel était assise une femme.

La référence à *La Leçon de piano* était totalement explicite mais je fus surtout troublée par les traits de la femme.

À n'en point douter j'avais été le modèle de l'aquarelliste.

Philippe, que rien ne perturbait, crut nécessaire d'ajouter :

— Vous avez vu, c'est vous, en Nouvelle-Zélande !

— Heu... Magnifique. Merci. Je ne m'attendais pas à cela...

— C'est à Karekare Beach. La plage qui a servi de décor pour *La Leçon de piano* ! C'est devenu un haut lieu touristique !

— Magnifique ! Et votre carnet de voyage ?

— Dès que je l'ai terminé, je vous l'apporte. Mais tout se bouscule un peu et je voudrais partir au Tchad avant la saison chaude...

— Ah ! Mais vous n'arrêtez donc jamais... Et ensuite ce sera l'Islande durant l'été ?

— Vous ne croyez pas si bien dire. Je pense sérieusement partir ensuite vers l'Antarctique, en croisière, à bord de ces bateaux qui mènent des explorations mais qui proposent quelques couchettes à de simples voyageurs.

— Pour le Tchad, il n'y a pas de guide chez Gallimard, lui dis-je sur un ton gentiment moqueur.

— Ah bon, me répondit Philippe, visiblement contrarié. Et chez un autre éditeur ?

— Non plus, vous savez, cela ne redevient une destination fréquentable et sans danger pour les touristes que depuis quelques mois...

— Bon, d'accord... Vous me conseilleriez un autre pays ?

— Mais voyons Philippe, je ne suis pas une agence de voyages, et vous êtes bien plus expert que moi ! Comment voulez-vous que je vous guide ?

— J'ai une idée ! Dites-moi quel est le dernier livre que vous avez vraiment aimé et qui se passe dans un pays étranger !

J'ai cru un moment que Philippe n'était pas sérieux. J'avais le sentiment d'une conversation surréaliste où je me retrouvais à déterminer pour un autre un projet de voyage au bout du monde. De surcroît, l'autre en question venait de me dessiner, à peine vêtue, devant un piano sur une plage néo-zélandaise...

— Écoutez, Philippe, je n'en sais rien. J'ai beaucoup lu de romans policiers ces derniers temps.

— Mais vous ne pouvez pas me laisser comme ça...

— *Le Juge Ti...*

— Comment ?

— Vous connaissez la Chine ?

— Non, je ne connais pas.

— Eh bien, voilà, vous allez partir en Chine sur les pas du juge Ti !

— Qui est le juge Ti ?

— Un héros de Robert Van Gulik. C'est un écrivain hollandais, décédé dans les années 1970 car il avait bien trop fumé de cigares ! C'était un éminent sinologue qui s'était marié avec la fille d'un mandarin. Les intrigues de ses livres sont palpitantes et vont vous transporter dans la Chine d'avant Mao de façon très documentée.

— Ça marche ! Vive la Chine !

— Je présume que vous voulez aussi le Gallimard dédié à la Chine ?

— Bien sûr !

Philippe repartit avec neuf des seize livres du juge Ti car je ne les avais pas tous en rayonnage.

Le soir même, je téléphonais à Nathan pour lui raconter ce grand moment de ma petite journée de libraire.

— Mais ce n'est pas possible Nathalie, il ne va quand même pas partir en Chine uniquement pour suivre ton juge Chang !

— Le juge Ti, pas Chang.

— Enfin, peu importe. Il est complètement cinglé ton cow-boy !

— En tout cas, s'il est cinglé, il n'est pas dangereux. Et puis, tu verras en rentrant, tu as désormais une très belle aquarelle où on reconnaît parfaitement ta femme. Ce n'est pas toi qui m'aurais dessinée ainsi ! Pourtant, les architectes, ils savent manier le crayon, non ?

J'étais hilare, et Nathan aussi...

— J'attends de voir. Si tu es trop dénudée, on la met dans la chambre, sinon on la fait encadrer et elle trouvera sa place dans le salon ! Tu devrais l'inviter à la maison un jour ton Gauguin de l'empire du Milieu ! Il nous ferait « Connaissance du monde » en aquarelles !

Dès que les beaux jours arrivent, les touristes les accompagnent, et les ruelles d'Uzès se remplissent d'étals de foulards indiens, de savons à base d'essences naturelles, de vendeurs de bracelets en cuir ou de petits tableaux provençaux.

Les terrasses au soleil sont les plus prisées.

Avec Nathan, nous avons nos habitudes et, quand il est en vacances, nous aimons bien lire le journal au Suisse d'Alger avant que j'aille ouvrir la librairie.

C'est un café très sympa qui fait l'angle d'une petite place, avant la célèbre place aux Herbes. Son fondateur était un pied noir d'origine helvétique. Aujourd'hui, il est tenu par deux femmes charmantes qui font encore le chocolat chaud avec du lait et non pas avec de l'eau chaude !

Nathan sourit à chaque fois que je rentre dans un café et que je m'enquiers de la méthode de fabrication du chocolat chaud, même quand je n'en commande pas ! Je trouve que c'est un critère comme un autre pour juger de la qualité d'un établissement. Je crois qu'il vaut mieux éviter de manger un couscous ou un pot-au-feu dans un lieu qui ne sait même pas faire un chocolat !

Je buvais donc mon chocolat pendant que Nathan lisait le journal, quand je fus intriguée par le stand de la jeune femme qui me faisait face...

Au milieu des petits tableaux représentant un champ de lavande avec sa petite bergerie ou un pré avec des moutons broutant parmi les oliviers, il y avait des aquarelles. Elles étaient visiblement issues du même artiste et représentaient de vastes étendues avec des kangourous, des cocotiers au bord d'une plage bleu turquoise, des Indiens en ponchos colorés avec leurs lamas, les rues de Pékin encombrées de vélos et de pousse-pousse !

Je m'inclinai pour mieux lire la signature au bas des tableaux : PK.

— Bonjour, mademoiselle. C'est un bien joli travail que vous avez là.

— Merci, je le dirai à mon père ; c'est lui qui peint tout cela.

— Vous pouvez effectivement le féliciter !

— Ce qui est particulièrement remarquable c'est qu'il peint d'après des images qu'il trouve dans des livres. Avant il avait un magasin où il développait les photos des autres, notamment celles des voyageurs qui revenaient des quatre coins du monde. Et puis le numérique est arrivé et la photo traditionnelle a disparu. Cela n'a pas été très facile, mais papa a réussi sa reconversion. Désormais c'est lui l'artiste ! Grâce à cela nous avons pu venir nous installer dans le Sud. C'était important pour moi car je suis asthmatique et le climat breton ne me convenait plus.

— Vous venez de Bretagne ?

— Oui, de Morgat. Vous connaissez ?

— Bien sûr, c'est la capitale de la presqu'île de Crozon, qui est ma région préférée de Bretagne !

Nathan m'avait rejointe et remarqua que j'avais le coin des yeux humides.

— Ça ne va pas, Nathalie ?

— Si, si, ça va très bien, je te raconterai…

— Mais, dis-moi, tu ne veux quand même pas mettre une croûte provençale avec un petit mouton et son berger chez nous ?

— Ce ne sont pas des croûtes ! C'est un magnifique travail !

J'éloignai Nathan du stand et lui relatai ce que je venais de découvrir. Je trouvai cette histoire très touchante et lui la trouva très drôle !

Lorsque Philippe revint me voir à la fin du mois de juin, nous parlâmes de la Chine.

Son voyage s'était très bien passé et il avait été frappé de voir combien les traditions ancestrales étaient bousculées par la modernité.

— Pékin est une ville invivable à cause de la pollution, mais dès qu'on s'éloigne de la métropole on retrouve une Chine éternelle, comme sur les cartes postales !

— Je suis contente pour vous, Philippe ! Et alors, le prochain départ, c'est pour où ?

— J'hésite un peu, l'Islande, le Spitzberg, la Norvège…

— Eh bien, faites donc les trois ! Ils ont tous un guide chez Gallimard et vous n'avez qu'à lire *Peuples chasseurs de l'Arctique* de Frison-Roche ! Lui aussi était un très grand voyageur et de surcroît un écrivain qui savait embarquer ses lecteurs avec lui.

Depuis, à peu près tous les deux mois, Philippe pousse la porte de la librairie. Tantôt habillé avec des chemises hawaïennes, à d'autres moments avec des grosses parkas conçues pour affronter le Grand Nord.

Il part toujours autant en voyage sans omettre de me les raconter à son retour. C'est un peu mon Claude Lévi-Strauss personnel.

À mon avis, il aura bientôt voyagé dans les 207 pays de notre petite planète !

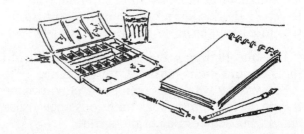

Leïla

À la découverte des mots et de soi-même

L'été est la saison des fruits, et donc des confitures…

À Paris, les fruits sont vendus verts à des prix exorbitants ! Ce n'est pas surprenant que des générations de citadins ne les aiment pas. Je serais comme eux si je n'avais goûté à ceux du Maroc.

Ma mère m'a appris à les apprécier et à aimer encore davantage ceux qui sont un peu gâtés, bien plus sucrés que les autres.

Là-bas, cela ne viendrait à l'idée de personne de jeter un fruit pour une malheureuse tache sur sa peau !

Une banane à la peau sombre est tellement meilleure que celle qui est à peine jaune. Et un abricot se mange quand son orange devient cuivré, et certainement pas quand il est dur à tel point qu'on le croque comme une pomme !

Déguster un fruit est aussi un bel exercice pour éprouver sa pleine conscience. Il faudrait une académie du fruit à l'image de celle créée par Steven Spurrier pour le vin. Des amateurs viendraient faire des dégustations en aveugle lors de soirées consacrées à l'abricot, à la pêche, à la tomate...

Comme pour les vins, les apprentis se verraient bander les yeux et ils découvriraient tour à tour le goût du fruit.

Il existe des milliers de variétés de tomates dans le monde, plus de trois cents variétés de pêches et des centaines d'abricots.

Pour chacune d'elles, une palette d'adjectifs olfactifs mais aussi de goûts ou de textures permettraient à chacun de raconter le fruit dans sa bouche.

Je suis absolument certaine que ce ne sont pas les plus « beaux » fruits qui obtiendraient les éloges des académiciens du fruit !

Je crois que le simple fait de manger en pleine conscience connecte au présent. Nous reproduisons machinalement un geste ancestral et vital. Ça vaut peut-être la peine d'y accorder un peu d'attention...

Au marché d'Uzès, les producteurs préparent des cagettes vendues spécialement pour les confitures.

C'est ma spécialité, les confitures !

La fraise, l'abricot, la figue, la prune, tout y passe !

Au début Nathan se moquait de moi en voyant les pots de confitures s'accumuler sur les étagères de la cuisine.

— Tu as oublié que nous n'avons plus d'enfant à la maison, ma chérie ! C'est pour faire comme dans les magazines de déco ?

— Ne t'inquiète pas, ça fera des cadeaux pour les amis, et Guillaume et Élise seront ravis d'en rapporter chez eux !

Aujourd'hui, je pourrais faire des concours de confitures car, chaque année, j'améliore mes recettes et j'en invente de nouvelles !

D'abord, j'ai un truc : je n'ajoute que la moitié du poids des fruits en sucre roux ; cela suffit largement et apporte une note subtile de caramel. Mes créations les plus appréciées sont les déclinaisons d'abricot (abricot-verveine, abricot-menthe, abricot-thym), mais aussi prune-châtaigne ou figue-pistache.

Quand je fais des confitures ça sent dans toute la maison. Un feu doux sous la grande bassine en cuivre produit un frémissement caractéristique qui fait dire à Nathan avec gourmandise : « J'adore le son de la confiture. »

J'ai même soigné la présentation en réalisant une étiquette spéciale pour mes pots : « Les confitures de la libraire ». Un espace vide en dessous du titre me permet d'écrire le parfum de chacune.

J'en offre effectivement aux amis, mais je fais aussi du troc avec les commerçants du marché. Le marchand de jus de gingembre est un amateur, tout comme Leïla qui me donne trois petits pélardons contre un pot de confiture.

Le troc est quelque chose qui se développe beaucoup dans la campagne. C'est une pratique que n'ont jamais cessé d'avoir les agriculteurs entre eux, mais avec le renouveau du « faire soi-même », il y a un vrai regain de sympathie pour ces échanges qui excluent toute circulation d'argent.

Je ne suis pas certaine que le fisc apprécie, mais s'ils venaient à dire quelque chose je pense que je saurais les amadouer avec un pot de confiture...

Le samedi matin, Leïla installe son petit étal de fromages de chèvre à l'angle de la place aux Herbes, juste devant la librairie.

Lorsque j'arrive, elle est déjà là, ainsi que tous les commerçants du marché.

C'est la meilleure heure. La place est animée mais elle n'est pas encore impraticable. C'est l'heure des gens d'ici. L'heure des personnes âgées qui se lèvent tôt et viennent remplir leurs cabas. C'est aussi le moment où l'on peut encore parler avec chacun du temps qu'il fait, de la qualité des récoltes ou de la santé de l'un ou de l'autre.

La place se trouve alors baignée dans une bienveillance chantante à l'accent régional, moins prononcé que dans le Sud-Est, mais déjà bien gorgé de soleil.

Leïla est une jolie beurette. Le regard joyeux et pétillant, les cheveux bien noirs, elle n'est pas très grande, et est plutôt fluette. En la voyant, il m'est revenu en tête la chanson bretonne qui évoque la jeune Madeline de la Rochelle qui se coiffe sans miroir et sans peigne mais n'en est pas moins la plus jolie. Son petit nez un peu retroussé et ses lèvres sombres complètent un visage très charmant comme dirait Guillaume. Il a un petit faible pour la jeune fille qu'il croise le samedi matin lorsqu'il vient nous voir. Mais Leïla n'est pas un cœur à prendre car elle a un petit ami, Martin.

Du haut de leurs vingt ans, ils ont décidé de créer un petit troupeau de chèvres du côté de Saussines, au pied du mont Bouquet.

Un vieux berger leur a appris à faire les fromages, et je trouve que ce sont les meilleurs du marché. Alors que je lui en faisais le compliment, elle m'avait répondu :

— C'est normal, nos chèvres suivent leurs parcours avec Martin toute la journée et mangent de tout, en pleine nature, et pas dans des parcs où elles sont nourries toujours au même fourrage !

Les « parcours », ce sont les espaces à travers lesquels le berger conduit les troupeaux en liberté. Ils sont déterminés en accord avec les propriétaires des terres, qui sont rarement les bergers eux-mêmes. Les terrains communaux font souvent partie de ces territoires confiés aux troupeaux pour qu'ils restent des milieux ouverts. Il y a de moins en moins de bergers qui suivent les troupeaux, mais du côté de Lussan il en reste encore quelques-uns.

Le berger fait partie de l'image d'Épinal rassurante de la Provence, au même titre que les champs de lavande ou les oliviers. C'est un dur métier que celui d'agriculteur et il exige d'importants sacrifices. Nombreux sont ceux qui ne prennent pas de vacances et sacrifient leur famille à leur exploitation. Quand nous achetons quelques euros notre kilo de tomates ou de haricots sur le marché, nous ne nous rendons pas compte de l'énergie humaine qu'il a fallu pour les produire.

Quand nous étions parisiens, j'ai souvent dit aux enfants, lorsqu'ils entamaient un repas, de visualiser avant chaque plat le fruit ou le légume dans son champ ou sur son arbre, l'homme qui a travaillé puis semé son champ, s'est penché pour ramasser ses légumes et ses fruits, avant de porter ses cagettes pour qu'elles rejoignent le marché.

Ainsi, ils mettent de la conscience dans leur geste et témoignent de la reconnaissance à l'homme ou la femme qu'ils ne verront jamais mais qui les nourrit.

Quand ils sont de passage et m'accompagnent au marché des producteurs du mercredi, Élise et Guillaume croisent les visages de ces agriculteurs. Ainsi les yeux rieurs de Marcel rentrent à la maison avec la botte de basilic, les mains abîmées de Pierrot avec les pommes de terre, le sourire de Jacqueline trône au milieu du panier de pêches, et celui de Leïla sur le plateau de fromages ! Comme Martin est avec les chèvres, c'est Leïla qui fait les marchés.

Chaque samedi matin, nous partageons toutes les deux un pélardon sur une tartine imprégnée d'huile d'olive.

C'est devenu un rituel.

Je lui achète aussi les fromages dont j'ai besoin pour la semaine et je la vois plier son stand en début d'après-midi avant de me faire coucou et de repartir vers Saussines avec sa petite fourgonnette. Leïla m'a raconté qu'elle a grandi à Zagora, dans le Sud marocain. Son père exploitait une parcelle de la palmeraie et sa mère entretenait le petit potager qui nourrissait toute la famille.

Je me souviens très bien de Zagora. C'est la plus belle palmeraie du Maroc ! Lorsque nous habitions Rabat, nous nous échappions vers le Sud à chacune des vacances. Après une halte à Marrakech, nous rejoignions Ouarzazate et partions soit vers la vallée du Dadès où la température restait agréable même en été car elle est en altitude, soit vers la vallée du Drâa et Zagora en automne ou en hiver.

Il n'y a rien de plus merveilleux qu'une promenade dans la palmeraie, au milieu des cultures maraîchères et au son de l'eau qui coule dans les canaux d'irrigation.

Je me souviens très bien des femmes dans leurs tenues colorées qui assuraient toutes les tâches agricoles. Elles chargeaient les cabas tressés qui pendaient le long du flanc des ânes avec les récoltes du jour. La palmeraie était animée dans chacun de ses recoins. Parfois une odeur de thé à la menthe nous menait vers un petit feu avec une théière où s'infusait le breuvage national marocain. Les Marocains sont généreux et ils nous offraient de la menthe fraîche, des dattes, ou un verre de thé quand nous prenions le temps d'un échange avec eux.

J'essayais d'imaginer Leïla enfant. Elle devait ressembler à ces petites filles qui couraient pieds nus et avaient toujours le sourire et l'envie de jouer avec nous. Nous n'avions pas de langage commun mais le sourire est un outil universel qui permet à tous les enfants du monde de se comprendre.

Leïla a deux frères plus jeunes.

Comme c'est souvent le cas au Maroc, Hassan, le père de Leïla, bien plus âgé que sa femme, mourut alors que sa fille n'avait que seize ans.

Sa mère, dont un des frères habitait Marseille, décida de rejoindre la cité phocéenne avec ses enfants pour se mettre sous la protection de ce grand frère.

Je découvris l'histoire de Leïla au fil de nos courts échanges du samedi matin. Lors d'une conversation, elle avait exprimé la douleur de son départ du Maroc.

— Mais pourquoi n'es-tu pas restée à Marseille avec ta mère, tu aurais été plus près du Maroc ?

— Quand nous sommes arrivées, mon oncle a trouvé un travail pour ma mère et moi dans un hôtel proche du Vieux-Port.

— Mais tu ne voulais pas aller au lycée ?

— Tu sais, au Maroc je n'avais été à l'école que jusqu'à douze ans, ce qui est déjà beaucoup pour une fille. En France, rien ne m'obligeait à y aller et j'ai obéi à mon oncle, estimant qu'il était bien généreux de s'être occupé de nous.

« Seulement, je me suis rapidement mise à déprimer. La palmeraie me manquait, la nature me manquait, le chant des oiseaux, les chemins de terre rouge où j'allais en chantant ramasser les dattes avec mon père, j'étais très mélancolique.

Mon oncle n'avait qu'une obsession : me marier. De nombreux hommes venaient à l'appartement pour me voir et je compris que je risquais de me retrouver avec un inconnu que je n'aimerais pas. Un matin, j'ai décidé de quitter Marseille. J'ai laissé un petit mot à ma mère en lui disant qu'elle ne s'inquiète pas et que je lui donnerais des nouvelles. Je suis partie vers la montagne de Lure, du côté de Sisteron, et je me suis fait embaucher pour la cueillette des cerises, puis des abricots et des amandes. J'étais heureuse d'avoir retrouvé la nature et le soleil !

— C'est là que tu as rencontré Martin ?

— Oui, il était en apprentissage chez un fermier qui avait quelques arbres fruitiers, des moutons et des chèvres.

« À la fin de son apprentissage, nous avons voulu nous installer mais c'est une région où tout est plus cher qu'ici.

« Un ami de Martin nous a proposé de venir découvrir le Gard et c'est pour cela que nous sommes ici ! J'aime la garrigue, il y a une aridité qui me rappelle parfois mon pays.

J'ai vite compris que Leïla et Martin tiraient un peu le diable par la queue.

Comme je devais être légèrement plus grande qu'elle, je profitai d'un rangement de mes placards pour lui offrir ce que je ne mettais plus.

Je suis soigneuse et j'abîme très peu mes vêtements. Mais comme je reste sensible à la mode et que je craque parfois pour les jolies tuniques que vend Hélène, mon amie qui tient la boutique de fringues à côté de la librairie, mes placards se remplissent plus qu'ils ne se vident.

Nathan, qui traverse l'année avec deux jeans et une paire de chaussures, me fait régulièrement des réflexions et me propose de faire les soldes dans mes propres armoires plutôt que de me laisser tenter dans les ruelles d'Uzès.

Je lui réponds à chaque fois que le jour où il arrêtera de s'acheter des stylos qui s'ajoutent à sa collection de Montblanc et Waterman dans son plumier, il pourra commenter ma garde-robe.

Je pense que cela doit être la même chose pour tous les couples ; certaines conversations se renouvellent à l'identique et les répliques changent à peine au fil des années. Cela doit représenter une forme de rassurance. Un peu comme le chapeau de jardin que l'on retrouve toujours à sa place ou le sucrier rangé sur le rebord de la petite fenêtre de la cuisine. Nos dialogues récurrents font partie d'un paysage que nous connaissons bien et qui nous sécurise.

Mais il existe un risque qu'avec le temps, certains des mots prononcés gagnent en aigreur. Je l'ai constaté avec mes parents et j'étais parfois triste d'assister à des journées entières où ni un geste tendre, ni un mot gentil n'étaient échangés. Seulement des petites anicroches. Chacune prise isolément était sans importance, mais, mises bout à bout, cela devenait pesant et créait un climat où l'enfant, que je restais malgré tout, était mal à l'aise.

Il faut se méfier de ces chapelets qui se constituent de petits riens. Il suffit parfois d'un grain en trop et c'est le fil tout entier qui casse.

Peut-être que s'ils avaient appartenu à ma génération, mes parents se seraient séparés. De nos jours, la force du lien du mariage ne résiste plus aux années lorsqu'il est régulièrement irrité par le quotidien.

Je sais cependant combien j'ai pu m'appuyer sur eux à tous moments et comme cela aurait été douloureux s'ils n'avaient plus été ensemble.

Double enfance, une très belle chanson de Julien Clerc, exprime cette souffrance qui ne disparaît jamais chez les enfants de parents divorcés. Les psychologues classent le divorce parmi les traumatismes aussi forts qu'un deuil. Ce n'est pas parce que les statistiques banalisent cet acte, qu'au niveau individuel, il n'est pas un événement exceptionnel de la vie de ceux qui y sont confrontés.

Aujourd'hui papa n'est plus là.

Il me manque.

Je le trouve souvent en embuscade derrière les livres que j'ai dans les mains à longueur de journées. Il en a lu tellement !

Quand j'ai décidé d'acheter la librairie, c'est certainement à lui que j'ai le plus pensé. Nos plus belles conversations avaient souvent comme origine une lecture commune.

« Tiens, Natoun, il devrait te plaire celui-là ! »

Il se trompait rarement, et lorsque j'avais achevé le livre, nous pouvions passer un dîner complet à revivre avec les personnages l'histoire que nous avions lue, nous étonnant de la réaction de l'un, nous reconnaissant dans celle de l'autre, relevant telle réplique ou nous enthousiasmant face à la créativité d'un auteur pour une scène vraiment incroyable.

Le souvenir de nos échanges remonte si souvent à la surface que parfois j'ai l'impression que mon père est assis dans un coin de la librairie et que notre conversation se poursuit.

On dit que les femmes choisissent un mari qui ressemble à leur père ou qui en est l'opposé. Je crois que Nathan ressemble bien peu à mon père, à l'exception d'une véritable passion pour la géopolitique. Ils avaient tous deux des débats interminables durant lesquels ils refaisaient la bataille d'Alésia ou reconsidéraient la situation au Moyen-Orient si les accords de Camp David n'avaient pas été signés ou si Bush n'avait pas décidé d'envahir l'Irak... C'était passionnant et je buvais leurs paroles en regrettant de ne pas être capable d'écrire un livre de politique-fiction issu de leurs hypothèses.

Papa est mort en lisant la biographie de Magellan par Stefan Zweig.

Il est mort avec son livre. Allongé sur un transat dans le jardin, au bord de la Loire, à Chaumont.

Maman a d'abord cru qu'il s'était endormi, le livre posé sur le visage pour se protéger du soleil. Passé un long moment, et le voyant toujours allongé, elle s'est approchée, inquiète. Elle remarqua rapidement qu'il ne respirait plus.

Le hasard a voulu que je sois venue passer quelques jours de vacances avec eux avant d'attaquer la rentrée des classes.

Je préparais mon programme de lecture pour les élèves que j'allais retrouver à Montaigne quelques semaines plus tard.

Je me réjouissais en particulier à l'idée de leur faire découvrir la littérature. J'étais notamment tombée sur une perle : *Vies voisines* de Mohamed Berrada. Une écriture singulière et une narration très originale qui explorait les méandres des relations qui régissent les cercles du pouvoir dans le Maroc contemporain. Berrada racontait un Maroc dont je ne soupçonnais pas l'existence quand j'y vivais. Depuis, j'ai lu *Notre ami le roi*, le livre culte de Gilles Perrault qui a révélé au grand jour les dessous des années Hassan II. J'ai été bouleversée par le sort réservé par le monarque à la famille du général Oufkir. Comment peut-on emprisonner des enfants innocents au nom des fautes de leurs parents ?

Il existe ainsi bien des pays qui sont nos destinations touristiques et où nous mettons de côté nos indignations humanitaires, le temps d'un séjour sous les palmiers... Combien de touristes vont de l'aéroport à leur hôtel-club pour passer une semaine de vacances, protégés par de belles haies de lauriers roses qui masquent des barbelés, derrière lesquels la misère et la pauvreté s'entassent dans des bidonvilles ? Nathan défend le fait que c'est grâce aux revenus du tourisme que ces pays ne sont pas encore plus pauvres. Moi je crains que le tourisme soit l'outil qui permet au pouvoir en place de faire la sourde oreille aux appels à plus de justice et à une meilleure répartition des richesses que portent les associations humanitaires.

J'étais au milieu de mes livres quand maman est arrivée doucement.

Elle s'est assise à la table en me faisant face, a posé sa main sur la mienne en me souriant et m'a dit doucement : « Ton père est mort... sous un livre. »

Tout d'abord, je ne compris pas et fronçai les sourcils. On meurt sous un arbre qui tombe, sous un rocher qui chute, mais pas sous un livre. Et puis il y avait ce doux sourire de ma mère, elle, habituellement vive et exaltée, était bien trop calme pour que je comprenne les mots qu'elle venait de prononcer.

Maman prit ma main pour m'inviter à la suivre. Nous traversâmes le salon, puis la véranda. Au loin je distinguai la silhouette rassurante de mon père dans le transat qu'il affectionnait à cette heure de la journée. La Loire coulait, divaguant sans retenue comme un beau fleuve sauvage qu'elle est toujours. Au-dessus du cours d'eau, baigné de lumière, le château de Chaumont accompagné du cèdre majestueux qui lui tient compagnie.

En m'approchant, je compris.

Habituellement on ferme les yeux des morts d'un geste doux de la main, là c'étaient les pages du livre qui avaient clos les yeux de papa.

Je souris à maman.

Je pleurai aussi.

Sur son lit de mort, et jusque dans son cercueil, nous avons laissé *Magellan* posé sur le visage de mon père, et Stefan Zweig poursuivre le dialogue avec lui.

Un jour où je discutais avec Leïla, je voulus lui offrir *Regain*, un petit livre de Giono qui se déroule dans la région de Sisteron et qui fait partie de mon héritage paternel. Je tombai des nues alors que je lui tendais mon cadeau :

— C'est super gentil, mais je ne sais pas lire !
Je l'offrirai à Martin.

— Mais, comment est-ce possible ? Tu ne sais pas lire du tout !

— Si, je sais un peu lire l'arabe, le Coran pour être précise.

Leïla éclata de rire devant ma tête éberluée.

— Excuse-moi. Mais je n'imaginais pas cela. Tu parles si bien !

— Mais ne t'excuse pas. Tu sais, on peut être très heureuse sans savoir lire et très malheureux tout en étant très instruit !

— Oui, tu as raison...

Quelques semaines plus tard, Leïla poussa la porte de la librairie.

Elle avait achevé son marché.

— Je peux regarder un peu les livres ?

— Bien sûr ! Ils sont là pour ça.

Leïla se promena dans les rayons en feuilletant certains ouvrages. Je suivis du regard sa balade et remarquai qu'elle ne regardait pas seulement ceux qui avaient des photos.

Je repensai au travail des éditeurs qui choisissent avec soin le papier, le format et la couverture de leurs livres.

Leïla caressait certaines pages, s'attardait sur une couverture ; tous ses sens étaient davantage en éveil du fait même de son illettrisme.

Elle revint vers moi en tenant un livre dans sa main :

— Qu'est-ce qui est écrit là ?

— *Zoli*, c'est le titre du livre. L'auteur est Colum McCann, un Irlandais.

— Elle est belle cette image. On dirait ma mère quand elle danse...

La couverture représentait une femme qui avait d'abondants cheveux noirs entourés d'un large bandeau rouge. Elle portait une ample robe bleue avec d'épais jupons. L'image n'était pas nette. La femme semblait être dans la neige, comme si elle présentait ses hommages au lecteur, la tête baissée vers le sol.

— C'est une Tzigane. Ce livre est le portrait d'une femme qui va vivre les événements tragiques de l'Europe du XXᵉ siècle. Venue de Bohème, elle va traverser le continent après avoir perdu ses parents à l'âge de six ans quand leur roulotte a sombré dans un lac gelé dont la glace a cédé. C'est une très belle histoire d'amour, mais très triste aussi !

— Mais tu as lu tous les livres ? Tu connais toutes leurs histoires ?

— Ceux de ma librairie oui, enfin presque. Pas tous les essais mais la plupart des romans.

— C'est quoi un roman ?

— Un livre issu de l'imagination de son auteur. Ce n'est pas une histoire vraie !

— Ce n'est pas très intéressant alors.

— Si, car souvent, si elles sont bien écrites, ces histoires peuvent nous toucher davantage qu'une histoire vraie. Elles permettent au lecteur de s'identifier aux héros qu'il découvre. Le temps d'un roman, il quitte sa condition et vit par procuration celle d'un autre.

Leïla prit sa respiration et lança sa question :

— Tu veux bien m'apprendre à lire ?

— Mais je ne sais pas comment on apprend à lire !

— Eh bien, en lisant ! Tu vas me lire des pages et je vais regarder les mots en même temps. S'il te plaît... Dis-moi oui...

— Écoute, je veux bien te lire un livre, mais je ne suis pas sûre que ce soit ainsi que l'on apprenne à lire...

— On va essayer !

— Il faut en choisir un facile dans ce cas.

— Non, je veux *Zoli* !

— Mais il fait plus de 300 pages ! C'est un gros livre.

— C'est mieux. Comme ça, j'aurai vraiment le temps d'apprendre.

Leïla était touchante. Elle me regardait comme on implore celui qui peut vous ouvrir les voies du paradis. Son regard était joyeux et assez irrésistible...

— C'est d'accord. Je te propose que nous lisions ensemble quelques pages chaque samedi, dès que tu as terminé le marché, juste avant que j'ouvre la librairie à 14 heures.

À chacune de nos courtes séances, nous lisions une dizaine de pages.

Leïla s'asseyait à côté de moi, les yeux grands ouverts, les oreilles aussi.

Je suivais du doigt chaque mot.

Au bout de trois séances, elle commença à participer à la lecture.

Elle anticipait les « le », puis les « la », les « me » et les « ma », puis elle attrapa les « grand-père » et les « matin », et je vis qu'à chaque fois elle repérait effectivement de plus en plus de mots.

C'était de la « méthode globale » sauvage, mais ça marchait !

Vers la centième page, Leïla tenta de prendre la main sur la lecture.

C'était un peu laborieux et je vis aussi que l'effort était tel qu'elle en oubliait de comprendre ce qu'elle lisait.

Pour compliquer l'apprentissage, McCann avait parsemé son roman de mots issus de la langue tzigane.

Leïla découvrit ainsi qu'un même alphabet pouvait produire plusieurs langues qui ne se comprenaient pas entre elles.

Je retrouvais ce sentiment que j'avais connu avec Élise et Guillaume lorsqu'ils avaient commencé à lire leurs premiers livres tout seuls.

C'est assez merveilleux de voir des enfants allongés sur le ventre sur leur lit, appliqués et consciencieux, le doigt sur la page, relevant la tête avec fierté à la fin de la page comme si chaque fois c'était un nouvel Everest qui avait été vaincu !

Je mesurais tous les jours combien la lecture offre la plus belle évasion, même à celui qui ne quitte jamais son territoire.

Mettre dans sa tête les mots d'un autre c'est, le temps d'un livre, avoir la possibilité de les faire siens.

Un peu comme le comédien qui doit éprouver le ressenti du personnage qu'il interprète. S'identifier à certains personnages n'est pas sans conséquence sur notre vie. Les perspectives ouvertes par les mots d'un autre deviennent un peu des possibles vers lesquels s'engager.

Il m'est arrivé souvent que la lecture d'un livre me donne la clairvoyance nécessaire pour exprimer ce que je pensais.

Les citations de mon petit carnet en sont souvent sorties pour dire en quelques mots à mes enfants ce que je ne parvenais pas à exprimer avec mon seul vocabulaire.

C'est Gilles Clément qui m'a offert très récemment de quoi nourrir un message à Élise qui se moquait de ma capacité à soutenir avec ferveur des associations et des mouvements qui étaient sortis de terre sans que l'on sache vraiment d'où ils venaient ni où ils allaient.

Alors que j'étais allée passer un morceau de soirée avec les « Nuit debout », je lui envoyai les mots de Clément : « Quand le choix réside entre ce qui détruit et ce qui est autre chose, incertain, je préfère aller vers ce qui est incertain. Parce que c'est dans cette incertitude que se tient l'espoir. »

Les livres sont des espaces incertains. Il n'est pas sans risque de se laisser traverser par les pensées d'un tiers. Certaines vont s'accrocher dans nos branches et rester ainsi posées, grandissant avec nous, pour rejaillir plus tard comme des pensées enfouies dans les malles d'un grenier.

Parfois elles deviennent nôtres au quotidien, à tel point que l'on en oublie leur origine étrangère.

J'enviai avec tendresse tous les horizons qui allaient s'ouvrir à Leïla si elle persévérait avec autant de joie.

Lors de sa dernière visite, j'avais remarqué que la jeune femme s'était un peu arrondie mais je n'osai l'interroger de peur de faire un impair si ses formes n'étaient pas liées à une première grossesse.

Quelques mois plus tard, devant la rondeur caractéristique du petit ventre de ma jeune apprentie, je n'hésitai plus et l'interrogeai avec le sourire :

— Dis-moi, Leïla... Tu me caches quelque chose ?

— Non, pas du tout. Quoi ?

La jeune femme semblait vraiment surprise par ma question.

— Tu ne serais pas un petit peu enceinte ?

— Mais non, pas du tout !

— Ah bon, j'ai cru un moment...

Lorsque Leïla est partie, j'étais un peu perturbée car j'avais vraiment le sentiment qu'elle portait un enfant et je ne comprenais pas bien pourquoi elle ne voulait pas en parler.

Après quatre nouvelles visites, alors que nous en étions à la page 240, je remarquai que Leïla avait troqué son jean contre une grande jupe ample. Je constatai qu'elle s'était encore arrondie, et son statut ne semblait plus faire de doute !

— Leïla, tu es enceinte, n'est-ce pas ?

— Non, je ne suis pas enceinte. Pourquoi tu m'embêtes avec ça ?

— Mais parce que cela semble évident. Tu dois bien le voir ? Tu n'as plus tes règles, n'est-ce pas ?

— Non, mais c'est juste qu'elles sont en retard.

— Mais tu es allée voir un médecin ?

— Non, ce n'est pas la peine !

…

— Ça va sinon ? Martin va bien ?

— Oui, très bien, avec la venue du printemps il est toujours sur les parcours, avec les bêtes.

— Je viendrais bien un jour vous voir à Saussines. J'aime tellement ce mont Bouquet qui est au premier plan avec les Cévennes qui se détachent au loin.

— Ce n'est pas possible. Martin garde tout seul !

J'étais sûre que Leïla était enceinte.

Je venais de lire *Elles accouchent et ne sont pas enceintes* de Sophie Marinopoulos. Un ouvrage intégralement consacré au déni de grossesse.

Il racontait comment des femmes qui ne veulent absolument pas avoir d'enfant sont capables de vivre l'intégralité de leur grossesse en la cachant autant à leur entourage qu'à elles-mêmes.

Je ne savais quelle attitude adopter et m'en ouvris à Nathan :

— Tu ferais quoi à ma place ?

— Il faut l'aider ta petite. Mais le mieux c'est sans doute d'en parler avec son compagnon si elle-même ne veut rien entendre.

— Mais je ne le connais pas. Il « garde » comme elle dit. C'est l'expression utilisée par les bergers pour évoquer la surveillance des troupeaux qui marchent librement dans la garrigue.

— Pourquoi tu ne demandes pas à Virginie d'être avec toi la prochaine fois que Leïla vient te voir ? Elle est médecin, peut-être que ta protégée acceptera de l'écouter.

Je pensai que l'idée était bonne et Virginie accepta de venir à la librairie le samedi suivant, mais Leïla n'installa pas son stand ce jour-là, et ne vint pas non plus à sa leçon de lecture.

Le samedi suivant, je vis la jolie beurette arriver, ses rondeurs difficilement masquées sous une robe qui ressemblait à celle de Zoli, la Tzigane de McCann.

J'appelai Virginie pour qu'elle me rejoigne, mais elle ne répondit pas.

Quand Leïla entra dans la librairie, je lui trouvai les traits tirés.

Elle s'assit à sa place et commença à lire...

Je l'interrompis en lui tendant le livre de Marinopoulos :

— Leïla, regarde la couverture de ce livre et lis-moi son titre.

— *Elles accouchent et ne sont pas enceintes : Le déni de grossesse.*

— Tu sais ce que ça veut dire un déni ?

Leïla fondit en larmes...

— Mais je ne veux pas être enceinte ! Je ne peux pas être enceinte ! Nous n'avons pas d'argent. Nous vivons dans une seule pièce, juste à côté des chèvres. Martin ne veut pas de bébé !

Je pris la jeune femme dans mes bras.

— Ma jolie Leïla. Calme-toi... Cela ne sert à rien de nier les choses. Regarde ton ventre.

Je posai ma main sur elle en caressant son ventre, puis je lui pris la main pour la joindre à mon mouvement.

— Il y a un bébé dans ce ventre. Il est bien trop tard pour ne pas l'accueillir dans ce monde, mais il n'est pas trop tard pour l'aimer. Comment sais-tu que Martin ne veut pas de bébé ?

— Parce que ce n'est pas possible...

— Mais t'a-t-il dit qu'il ne voulait pas de bébé ?

— Non, il ne m'a rien dit.

— Tu te souviens comment tu me parlais de l'amour que tu portais à ton père lorsqu'il t'emmenait dans la palmeraie à la découverte des oiseaux ou pour suivre l'avancement des bourgeons ou la récolte des dattes ? Un bébé n'est pas seulement un cadeau merveilleux de la vie pour une mère, ça l'est aussi pour un père !

Ne crois-tu pas qu'il est temps de faire ce cadeau à ton amoureux ?

Leïla pleurait de lourdes larmes qui dessinaient un sillon plus clair sur sa peau brune et qu'elle avalait d'un coup de langue lorsqu'elles arrivaient à ses lèvres.

— Je ne sais pas. Peut-être que tu as raison.

— J'ai sûrement raison ! Tu as un peu peur de Martin ? Il peut être violent parfois ?

— Oh non ! Jamais ! C'est un garçon tellement gentil !

— Alors tu n'as pas besoin que je t'accompagne pour le lui dire ?

— Non, mais tu es sûre que je suis enceinte ?

— Oui, et toi aussi. Le bébé ne bouge-t-il pas parfois ?

Leïla fit son premier sourire de la journée.

— Si, je crois que là il bouge. Mais c'est la première fois !

— La première fois que tu l'entends sans doute... Mais cela doit faire quelque temps qu'il doit te faire coucou en espérant que tu lui répondes...

Leïla posa sa main sur son ventre, suivant un petit pied ou une minuscule main qui devait apprécier...

Le samedi suivant, Leïla n'était pas seule au marché. Un beau jeune homme brun et souriant l'accompagnait.

Je compris immédiatement que les deux amoureux s'étaient parlé.

— Bonjour, Leïla !

— Bonjour, Nathalie, je te présente Martin.

— Bonjour, Martin, je suis heureuse de faire votre connaissance.

— Bonjour, moi aussi. Leïla a quelque chose à vous annoncer.

— Oui, nous voulions te dire que nous attendons un bébé. C'est pour dans deux mois. Nous sommes très heureux. Martin viendra faire les marchés avec moi car il ne veut pas que je me fatigue trop. Nous ne savons pas encore où je vais accoucher. Peut-être dans la bergerie, avec les chèvres !

— Tu sais, il y a de très grands hommes qui sont nés dans une étable !

Martin et Leïla sourirent.

— J'ai autre chose à te dire. Ou plutôt à te lire...

Leïla sortit un petit livre et commença à lire :

— « Il y a du feu dans l'âtre, mais le vent a embouché la cheminée et il souffle sa musique avec de la fumée, des cendres volantes et en aplatissant la flamme. »

C'était la première phrase de *Regain*, le livre de Giono que je lui avais offert.

Je ne sais qui de nous deux était la plus émue.

Noé est né un mois plus tard.

Martin et Leïla sont venus me le présenter en me demandant si je voulais bien être la marraine.

Cela m'a beaucoup touchée. Les relations avec Élise n'étant pas toujours simples, j'étais heureuse qu'une jeune femme, à peine plus âgée que ma fille, me témoigne ainsi sa confiance.

J'ai donc accepté !

C'était quelques jours avant la venue d'Élise pour un petit week-end à la maison.

Lorsque ma fille est arrivée, je lui racontai l'histoire de Leïla. Je ne sais si j'ai été maladroite mais j'eus droit à des remarques moqueuses sur mon côté saint-bernard qui sauve le monde pour que l'on élève une stèle à sa gloire.

J'ai été blessée par ses propos.

Comment pouvait-elle penser cela de moi !

Élise assénait ses vérités du haut de ses vingt ans et il n'y avait pas d'ouverture possible pour un échange autrement qu'en se plaçant sur un terrain conflictuel. Je ne voulais pas de cela pour ces deux petits jours et je pris le parti de ravaler ma colère d'avoir été aussi injustement perçue.

Nathan avait bien vu que j'étais blessée, mais il n'est revenu sur cet échange que lorsque nous nous sommes retrouvés en tête à tête.

— Pourquoi as-tu eu besoin de parler de Leïla à Élise ?

— Parce que je suis heureuse de la confiance que me fait cette jeune femme en me choisissant comme marraine.

— Et alors, quel est le message que tu fais passer à ta fille ?

— Aucun. Je lui raconte juste ma vie.

— C'est cela… Tu ne crois pas que tu lui dis aussi : « Tu vois, Élise, y'a des filles qui, elles, ne me rejettent pas mais au contraire ont beaucoup d'estime pour moi. » Soit dit en passant : « C'est toi qui es dans l'erreur, les autres me trouvent très bien. »

— Ce n'est pas ce que j'ai voulu faire.

— Consciemment peut-être...

— Alors je ne dois plus raconter à Élise ce qui est important dans ma vie ?

— Tu comprends très bien ce que je veux dire... Quand une relation, quelle qu'en soit la cause, est altérée, tout peut être mal interprété, car la parole n'est plus prise simplement pour ce qu'elle est mais écoutée dès le premier mot comme susceptible de nourrir un plaidoyer à charge.

— C'est injuste !

— Certainement. Mais ce n'est pas une histoire de justice entre une mère et une fille, c'est une histoire d'amour... Parfois aimer c'est ne pas prononcer tous les mots mais en retenir certains.

— Je n'ai pas appris ça, moi j'aime les relations vraies.

— Alors si tu montes au filet à contretemps, accepte qu'elle te renvoie une balle injouable dans les pieds.

Bastien

Le messager silencieux

Je perçois bien souvent que mon énergie est modifiée par mon environnement. Je suis une éponge de la bonne humeur comme de la mauvaise de ceux qui me sont proches. Je suis sensible aux propos qui s'emportent, au ton qui monte, mais je suis aussi la première à rendre un sourire et à rire sans réserve.

Parfois je regrette un peu de manquer d'autonomie et de résistance quand je suis sous l'influence d'une énergie négative, mais comme je remonte facilement la pente, je me préfère sensible plutôt que de tresser une cotte de mailles pour me protéger.

Bastien m'a troublée.

Il ne l'a jamais su, mais j'ai rarement été autant perturbée par une présence masculine au point d'en ressentir ma propre vulnérabilité.

Je crois que nous avons chacun une aura qui nous entoure et nous accompagne. C'est un peu comme un corps sensible mais invisible qui reçoit les premiers appels, s'égratigne aux accrocs des autres, perçoit la caresse de l'âme voisine, ou son ombre.

J'étais avec Hélène lorsque Bastien est entré.

Il a commencé par déambuler, sans rien chercher vraiment, simplement pour laisser s'achever mon échange avec Hélène.

J'ai été traversée par un frisson sans même l'avoir regardé.

Il avait la mystérieuse faiblesse du visage d'un ange.

Des boucles blondes et longues tombaient sur ses épaules.

Un long manteau sombre avec des manchettes dorées, comme celles d'un officier de marine, renforçait le mystère.

— Ohé, Nathalie, tu es toujours avec moi ?

— Oui, euh, non…

— Tu le connais l'homme qui vient de rentrer dans la librairie ?

— Non, jamais vu.

— Mais tu es étrange. Ça ne va pas ?

— Si, si, très bien.

— Eh bien dis-moi, en tout cas il te fait de l'effet. On dirait Corto Maltese en blond !

Hélène avait raison.

— Tu veux que je reste avec toi ?

— Non, mais non, que veux-tu qu'il m'arrive ?

— Je n'en sais rien. Mais à peu près tout, vu combien tu sembles différente depuis son arrivée.

Hélène retourna à ses fringues et me laissa seule. Enfin, façon de parler.

— Bonjour. J'ai vu que vous avez l'autocollant « Postbook » sur la vitrine. Cela signifie bien que vous vous chargez d'envoyer des livres là où on vous le demande ?

— Oui, c'est cela. Cela fait deux années que ce service existe. C'est un partenariat entre le syndicat des libraires et La Poste pour tenter de contrecarrer Amazon qui nous fait une terrible concurrence. Pour un envoi en France, nous expédions votre livre à votre destinataire en 24 heures ; si c'est pour l'Europe, c'est 48 heures, et pour le reste du monde, 72 heures.

— C'est pour la France.

— Très bien. Vous savez quel livre vous voulez expédier ?

— Oui : *L'Homme qui plantait des arbres* de Giono.

— Il existe en plusieurs éditions ; l'une d'elles est accompagnée d'illustrations découpées qui forment des silhouettes à l'ouverture des pages.

— Non, je voudrais l'édition la plus classique.

Je partis chercher ce petit livre dans les rayons. J'avais les jambes en coton, le sentiment qu'à tout moment je pouvais perdre connaissance. « Mais qu'est-ce qui t'arrive ? », me demandai-je. Je n'avais jamais connu une telle sensation de flottement.

L'Homme qui plantait des arbres était le premier livre que m'avait offert Nathan.

L'histoire d'Elzéard Bouffier est une véritable parabole qui invite chacun à se mettre en route pour changer le monde qui est à sa portée sans justifier une inaction par l'attente de grandes décisions planétaires.

— Voici une carte où vous pouvez écrire un petit texte qui accompagnera l'envoi.

— Ce n'est pas la peine. Je peux vous dicter l'adresse ?

— Oui, bien sûr.

— Yann Kermezen – Maison de la Clarée – 05230 Névache.

— Voici un nom bien breton...

— Oui, mais il habite dans les Alpes.

Depuis son entrée dans la librairie, les traits de l'homme n'avaient pas changé. Il ne souriait pas mais n'était pas désagréable non plus. Il avait un peu l'air mélancolique. Il ne semblait pas vraiment présent, s'adressait à moi avec courtoisie, mais ne me portait pas plus d'attention qu'à une libraire à qui l'on vient acheter un livre...

J'ai vécu ce moment avec une sensation bien différente car, à son départ, je gardai longtemps l'impression d'avoir perdu le nord de ma boussole.

Bastien est revenu avec une régularité de métronome, toutes les trois semaines.

À chaque fois, je ressentais le même trouble. Je m'y habituais aussi, comme on apprivoise un animal sauvage qui commence par vous échapper avant d'accepter votre présence.

Ce qui m'intriguait davantage, c'est que le jeune homme empruntait des traces littéraires

identiques aux miennes, et envoyait anonyme-
ment dans les Alpes des livres qui faisaient tous
partie de ma bibliothèque idéale. Après le livre
de Giono, *L'Homme-joie* de Bobin et *L'Abyssin* de
Rufin, il venait de me demander d'expédier *Soie*
de Baricco.

C'est un livre qui avait eu un bel écho dans
la région car les sériculteurs, et tout ce qui
touche à l'élevage des vers à soie, font réellement partie du patrimoine culturel et historique
des Gardois.

Baricco avait tissé de soie une relation amoureuse, impossible et subtile, entre un Ardéchois
et une jeune Japonaise.

Je décidai de me lancer...

— Excusez-moi, mais je suis un peu intriguée,
car les livres que vous choisissez semblent tout
droit sortis de ma bibliothèque personnelle.
Vous pouvez m'en dire un peu plus sur ce qui
guide vos choix ?

— Oui, cela tient à des raisons très différentes. D'une manière générale, je trouve que
Bobin exprime avec des mots simples des idées
merveilleuses. Il a compris bien avant moi que
ce qui est compliqué ne rend jamais heureux.
À l'inverse, il invite à regarder le vol d'une hiron-
delle ou un enfant qui va à l'école comme une
histoire unique et sacrée. *L'Abyssin* m'a trans-
porté dans une période que j'aurais voulu vivre
car l'homme était à l'apogée de son histoire,
croyant à un monde sans limites, où chaque
voyage générait de nouvelles découvertes.

Quant à Baricco, c'est aussi un livre de voyage, pas seulement vers le Japon mais aussi dans la trame sensuelle des émotions. L'un des plus beaux récits amoureux que je connaisse. Comment vous appelez-vous ?

— Nathalie.

— Moi, c'est Bastien...

L'homme savait sourire. Une première !

Je n'osai prolonger la discussion. Ces quelques mots échangés me donnaient le sentiment d'être à quelques pas d'un précipice...

Bastien me frôla presque en rejoignant la sortie de la librairie. Je fermai les yeux, ressentant son effluve. Son parfum était ambré, légèrement soutenu par une odeur d'agrume, très oriental, presque féminin en réalité.

Je pestai après coup contre une timidité soudaine qui ne me ressemblait pas.

Je n'ai jamais parlé de Bastien à Nathan.

Coupable. J'étais coupable depuis le premier jour. Coupable d'avoir été émue par un autre homme que le mien.

Comment sommes-nous construits pour être capables de passer des décennies sans que rien ne vienne perturber l'avancée de la cordée sur sa paroi amoureuse et pourtant dévisser sur un simple souffle.

Nathan n'a jamais été un compagnon de lecture. Cela m'a parfois manqué, car il est fort le lien qui se crée entre deux lecteurs, réunis par l'émotion d'un même livre. Le livre est alors le médiateur qui permet de comprendre l'autre et d'être soi-même mieux connu, déshabillé par des mots lus en commun.

Coupable...

Mais de quoi étais-je coupable ? Sommes-nous coupables quand la chair n'a pas parlé ? Sommes-nous coupables tant que nous sommes dans la solitude d'un sentiment qui n'atteint pas celui qui en est destinataire ?

J'étais également incapable de parler à Hélène de ce qui se passait.

Elle avait perçu la régularité des visites mais renoncé à me poser des questions après que je lui ai indiqué que je ne savais rien de cet homme, qu'il n'y avait rien à dire ni sur moi, ni sur lui. Un grand no man's land vide de sens en somme.

Je savais que Bastien ne tarderait pas à revenir... Cela faisait presque trois semaines.

La Beauté du monde de Michel Le Bris fut expédié dans les Alpes.

— Celui-là aussi vous l'avez aimé ? me demanda-t-il.

— Bien entendu ! Je suis convaincue que nous avons à composer entre notre part sauvage que nous étouffons bien trop, et la modernité qui nous conditionne tous par les mêmes codes comportementaux, alimentaires, vestimentaires... C'est grâce à ce livre que j'ai découvert le Kenya où nous sommes ensuite partis avec mon mari.

Je me suis demandé si j'avais rougi en parlant de Nathan.

En prononçant le mot « mari », j'avais le sentiment d'avoir associé Nathan à une partie échangiste. C'était ridicule.

Bastien semblait ne rien remarquer de tout cela.

Il était ailleurs.

Où ?

Je ne voulais rien savoir, rien demander, mais je savais qu'il n'était pas là.

Trois semaines plus tard, ce fut au tour de *Désert* de Le Clézio de prendre le chemin des Alpes.

J'avais été enthousiaste à la lecture de ce livre.

Le Clézio avait su raconter combien, malgré tout ce qui peut nous arriver, nous gardons des espaces de liberté, des feux qui brûlent et vers lesquels nous rêvons de retourner.

Pour Lalla, son héroïne, le désert était ce lieu sacré.

Pour moi, c'est la presqu'île de Crozon, en Bretagne. Tant que Crozon existera, je sais que j'aurai toujours un refuge possible, face à l'océan, au milieu des landes de bruyères.

À Crozon, mes plaintes s'effacent, mes blessures cicatrisent.

J'ai le sentiment que ce n'est plus mon corps physique qui réagit et s'exprime mais un corps subtil, détaché de ma chair, qui m'enveloppe et se met à l'unisson des éléments.

J'appartiens à cette terre iodée où le vent et la mer façonnent mon rivage intérieur tout autant que les falaises ourlées d'écume.

J'en suis. Je deviens ce rocher de granit aux formes arrondies, mon regard prend le reflet pourpre des bruyères, le sel exacerbe mes sens quand je passe ma langue sur le bord de mes lèvres.

J'ai alors le sentiment d'appréhender ce qu'est l'éternité.

Je souhaite à chacun de trouver ainsi un morceau entre terre et ciel qui devienne un refuge, un endroit si puissant où la vie jaillit malgré tout et déchire vos habits de tristesse et d'amertume.

Je ne questionnai pas Bastien pour savoir quel était son refuge. Question trop personnelle...

En revanche, je lui demandai s'il avait lu *L'Africain* de Le Clézio.

— Oui, je l'ai lu. Je n'ai pas aimé.

— Ah bon ! Voilà qui est rassurant. Nous n'avons pas totalement les mêmes goûts. Moi j'aurais aimé savoir écrire uniquement pour être capable de dire au monde entier l'admiration que j'ai pour mon père.

Bastien ne répondit pas. Et j'eus étrangement l'impression d'avoir fait un impair.

Quelques jours après, *Désert* me fut retourné avec la mention « N'habite pas à l'adresse indiquée ».

Je fus contrariée.

Je vérifiai sur mon listing que je ne m'étais pas trompée d'adresse, mais les huit autres livres étaient bien partis avec les mêmes indications.

En revoyant le titre des livres, je me suis dit que toutes les histoires choisies par Bastien étaient de magnifiques récits. Sa douce mélancolie ne ressemblait pas à ce chapelet de livres qui étaient délibérément positifs et ouverts sur le monde.

Je n'avais aucun moyen de le prévenir puisque je n'avais pas ses coordonnées.

Il me faudrait attendre deux semaines…

Je chassai de mon esprit une drôle d'idée : Bastien cessera de venir à la librairie s'il n'a plus de livre à envoyer.

Bastien avait surgi dans ma vie au début de l'automne, et je pensais qu'il en partirait avec les premiers jours d'été.

Certains attendent l'été comme s'il était la seule saison à vivre.

Chargé de tous les espoirs de retrouvailles familiales, de fêtes entre amis, de jours qui rallongent, de vacances aux quatre coins de la France ou du monde, l'été a le goût d'un jus concentré hypervitaminé.

Durant toute l'année, les guides de voyage sont épluchés et les conciliabules familiaux donnent lieu à moult débats : que ferons-nous cet été, où irons-nous ? Avec qui ?

Puis arrive le moment tant attendu et l'on cherche à faire rentrer au chausse-pied dans le programme estival les parents chez qui il faut aller absolument, la sœur à retrouver en Bretagne même si on sait qu'au bout de trois jours on ne supportera plus son mari, le mariage des cousins dans la Drôme, mais aussi les cinquante ans de la meilleure amie qui vit au Pays basque. L'été ressemble alors à une voiture sur l'autoroute du Sud qui déborde de bouées, de vélos à roulettes, de chaussures de randonnée mais aussi de tenues pour danser au mariage des cousins...

Avec Nathan, nous avons été dans cette voiture pleine à craquer roulant sur l'autoroute du Sud.

Nous trouvions toujours les étés trop courts, à peine entamés, déjà terminés.

Pour peu que la météo soit mauvaise, le beau-frère vraiment pénible ou la maison louée dans la Drôme mitoyenne d'une station-service, certains étés laissaient un goût amer.

Depuis que nous avons quitté Paris, nous aimons l'été bien entendu, car il est l'occasion d'accueillir tous ceux qui passent nous voir et d'être enveloppés dans l'atmosphère joyeuse des vacances, même quand nous travaillons encore. Mais nous aimons les trois autres saisons tout autant.

La chaleur du Gard est sèche et parfois les quelques degrés perdus la nuit rafraîchissent à peine l'atmosphère. Nathan souffre un peu à ces périodes-là et ne rêve que de s'échapper à Crozon où il peut rester actif toute la journée.

Chez nous, il est obligé de rester à l'abri des volets fermés à l'espagnolette durant les plus chaudes heures du jour.

Moi, j'aime la chaleur. Dès que je suis à la maison, je suis pieds nus, habillée de robes légères, les cheveux ramenés sur la tête dans un chignon anarchique.

Recouverte d'un simple drap, j'aime dormir les fenêtres ouvertes, entendre le petit duc ponctuer la nuit de son cri régulier, le vent faire vibrer les feuilles des micocouliers, la fontaine du bassin remplir l'espace de la cour.

Douces nuits…

Je suis étendue sur le lit, la tête inclinée vers la gauche, les yeux à peine fermés. Le drap qui recouvrait mon corps nu gît au pied du lit.

L'homme me regarde.

Il ôte son pantalon en lin et sa chemise couleur safran. Son corps est beau. Presque imberbe, la peau mate et ferme, son torse est musclé sans l'être trop. Je fais semblant de ne pas savoir qu'il me regarde.

L'homme s'approche du lit et s'allonge à côté de moi sans me toucher.

Sans cesse, il me regarde. Son regard est doux et semble me détailler en suivant les lignes de mon corps. Il se met sur le côté et tend sa main gauche vers moi.

Elle court le long de mon corps à un ou deux centimètres au-dessus. Son regard suit sa main, double caresse immatérielle.

Je sens la main qui, sans me toucher, fait se dresser chaque poil de ma peau.

L'homme regarde ma bouche entrouverte alors que sa main se pose sur mon sexe comme une feuille tomberait au sol après avoir voltigé lentement dans l'air.

Imperceptiblement j'écarte les cuisses, juste un peu, pour mieux sentir la feuille tombée de l'arbre...

J'ouvre les yeux... Bastien...

Je me réveille. J'entends le souffle de Nathan qui dort à mes côtés.

J'ai chaud. Chaleur d'un rêve interdit.

Je sors sur la terrasse. La nuit devient bleue, comme à la fin des nuits d'été.

Bientôt le ciel rougira au baiser des lèvres du jour.

Je reste avec la nuit ; avec mon rêve.

J'autorise l'interdit, juste en songe. Un songe, un simple songe d'une nuit d'été...

Bastien revint un samedi matin. En plein jour de marché. La librairie était bondée. Nathan était venu me donner un coup de main comme il le fait souvent les samedis estivaux.

À l'arrivée de Bastien, je crus tout à coup avoir un cerveau à ciel ouvert où Nathan pouvait lire l'ensemble de mes pensées.

Mais il n'en était rien. Nathan est un homme honnête et simple, qui pense que le monde est honnête et simple. C'est un grand optimiste, ce qui est très rassurant tant pour lui-même que pour ceux qui vivent avec lui.

Je laissai Nathan gérer l'encaissement et m'écartai pour parler à Bastien :

— Il y a eu un problème. Votre livre m'a été retourné avec la mention « N'habite pas à l'adresse indiquée ».

Je vis Bastien devenir livide.

— Vous êtes sûre que c'est la bonne adresse ?

— Certaine.

Bastien semblait bouleversé. Il me salua en se détournant et s'en alla sans explication.

Je ne savais que faire.

Je n'allais pas courir derrière lui et laisser Nathan seul sans rien lui dire. D'ailleurs quelle explication aurais-je pu lui donner ?

Je n'ai donc pas bougé.

Durant tout le week-end Nathan me trouva absente.

— Tu as un souci, Nathalie ?

— Non non, ça va.

— Tu es sûre ? Tu n'es pas malade ?

— Mais non je te dis.

Cela avait suffi à Nathan.

Quelques jours plus tard, un homme âgé, élégant, les cheveux très blancs, entra dans la librairie.

J'avais deux clients à servir et je vis que cet homme attendait sans prêter attention aux rayonnages.

D'autres clients étaient entrés depuis son arrivée, et quand ce fut son tour je me dirigeai vers lui.

— Bonjour, monsieur, que puis-je pour vous ?

— Je préfère attendre que vous soyez tranquille pour vous parler. Servez donc vos clients.

— Mais cela peut durer longtemps car il y a souvent du monde dans l'après-midi. Si vous le pouvez, revenez à 19 heures, vous n'aurez pas à attendre et, comme c'est l'heure à laquelle je ferme, je serai tranquille.

— Très bien, je vais aller patienter à la terrasse des Terroirs.

« Je vous prie d'excuser un comportement qui peut vous paraître étrange et va vous contraindre à retarder votre départ.

— Je vous en prie, cela ne me pose pas de problème.

L'homme était très courtois. Il avait un port de tête très droit malgré son âge, mais la fatigue se percevait sur ses traits : les yeux étaient cernés, la peau du visage très sèche épousait chaque angle osseux.

Il portait un costume en lin de couleur paille, une lavallière, et avait ôté un beau panama de sa tête en entrant dans la librairie.

L'homme revint à l'heure convenue.

— Je viens vous voir car j'ai besoin que vous me donniez un renseignement ; ce que rien ne vous oblige à faire… Je suis donc bien conscient de la singularité de ma démarche.

— Je vous écoute.

— Durant ces derniers mois, j'ai reçu dans ma maison de repos des livres qui provenaient de votre librairie…

Je compris soudainement que celui qui était en face de moi était Yann Kermezen. Je continuai de l'écouter mais sans avoir vraiment besoin d'entendre la suite. Compte tenu de l'état dans lequel était Bastien lors de sa dernière venue, j'imaginai…

— … En raison de la nature des livres, j'ai très vite compris que celui qui me les envoyait ne pouvait être que mon fils. Un fils que je n'ai pas revu depuis près de quarante ans.

— Mais... Pourquoi ? Non, excusez ma question...

J'étais émue. Un peu bouleversée aussi. J'ai souvent lu dans les livres des histoires qui racontent l'éloignement d'un père ou d'un fils, la douleur qui va avec, et les retrouvailles souvent trop tardives, si elles ont lieu.

Certains hommes gardent jusqu'au bout les stigmates de leur histoire, un peu comme des bunkers sur les plages du débarquement ou des morceaux du mur de Berlin qui s'inscrivent progressivement dans le paysage quotidien mais trahissent aussi la violence de ce qui fut vécu.

— Ne vous excusez pas. J'ai beaucoup relu mon histoire et vécu jour après jour avec le poids de mes actes, jusqu'au jour où j'ai su me pardonner et poser un fardeau qui n'était finalement pas uniquement le mien. Il y a quarante ans nous vivions à Uzès, à Lussan plus exactement. Nous habitions une maison de famille venant du côté de Sandrine, la mère de Bastien. J'ai quitté Sandrine pour une autre femme. Une Tanzanienne que j'avais rencontrée alors que j'étais en reportage en Afrique. Bastien avait treize ans et sa sœur Mathilde, huit ans. Bastien était un adolescent. Il a eu des mots très durs envers moi, refusant de me parler, et de me voir. J'ai tout d'abord compris sa réaction et accepté qu'il faille laisser du temps au temps. Mais Sandrine s'est suicidée deux ans après notre séparation. Lorsque j'ai

166

voulu venir aux obsèques, Bastien, dès qu'il m'a vu, s'est dirigé vers moi en m'injuriant, rejetant sur moi toute la responsabilité de la mort de sa mère.

— Et Mathilde ?

— Mathilde était petite. Elle n'a jamais perdu le contact avec moi, au point de m'avoir rejoint en Tanzanie où nous avons créé ensemble une réserve animalière et un lodge. Mathilde était mon double.

— Pourquoi « était » ?

— Car elle est morte elle aussi, il y a dix ans. Un accident de voiture avec un camion sur la route qui rejoint Mombasa.

— Oh, mon Dieu !

De longues larmes silencieuses s'étaient mises à couler sur mes joues. J'imaginais la douleur de ce père, mais je comprenais aussi la réaction de Bastien. Quand le livre de Le Clézio a été retourné, il a cru que son père était mort.

— Ne pleurez pas... Tout n'est pas triste puisque, par votre intermédiaire, j'ai retrouvé la trace d'un fils que je croyais perdu à jamais. Bastien a toujours gardé le contact avec sa sœur. Elle rentrait en France chaque année et le retrouvait à Lussan. J'avais écrit à Bastien pour qu'elle puisse reposer dans le caveau familial des Elzéars, c'est le nom de la maison de Lussan. Nous sommes protestants et, dans la région, la tradition se perpétue d'enterrer nos morts dans les tombes qui se situent à l'intérieur même des propriétés. Bastien a accepté, à la condition que je ne vienne pas aux obsèques.

Il devait considérer aussi que, si je n'avais pas habité en Tanzanie, sa sœur n'aurait pas disparu. Je cherche donc à revoir mon fils. Vous savez, quand on a mon âge, on ne reste pas en vie pour soi mais pour les autres. Et quand on n'a pas d'autre... on prend le dernier train sans se retourner. J'avais choisi de finir mes jours dans cette vallée des Alpes qui est le plus bel endroit que je connaisse. La Maison de la Clarée se trouve le long du torrent du même nom. De ma fenêtre j'entendais l'eau vive du ruisseau. Je suis atteint d'un cancer qui aurait dû m'emporter il y a quelques mois. Puis sont arrivés les livres. Chacun racontait la vie, la force de la vie, et sa beauté aussi. L'énergie qui m'avait quitté est revenue avec les livres, bien mieux qu'avec le cocktail énergétique et médicamenteux prescrit par les médecins. Au sortir de l'hiver, je n'ai eu qu'un objectif : venir ici et retrouver Bastien. C'est un taxi qui a accepté de traverser la France avec moi. Sans doute la plus belle course de sa vie ! Je pensais trouver Bastien aux Elzéars, mais la maison appartient désormais à des Hollandais. C'est la raison pour laquelle je suis venu vous voir, car vous devez savoir où il habite, non ?

J'étais effondrée. J'avais si peu posé de questions à Bastien que je n'avais aucune idée de là où il vivait.

— Je suis désolée, vraiment désolée, mais je n'en sais rien. Mais on va le retrouver. Uzès n'est pas si grand. Vous logez où ?

— Je ne sais pas encore. Je vais prendre un hôtel.

— Eh bien, vous logerez chez nous.

— Mais je ne peux pas. Il n'en est pas question !

— Tant que nous n'aurons pas retrouvé Bastien, vous logerez chez nous. Ce n'est pas une invitation. C'est comme ça !

Le vieil homme souriait.

Nathan ne devait rentrer de déplacement que le vendredi. Je l'appelai pour lui raconter ce qui se passait.

— Mais tu ne m'avais pas parlé de ce Bastien ?

— Non, mais tu sais, il n'est pas le seul à effectuer des envois *via* Postbook.

— En tout cas, elle est très touchante cette histoire. Il faut vraiment retrouver le fils de cet homme.

— Merci, Nathan, merci, merci...

La bonté de Nathan sera toujours ce qui me touchera le plus chez mon mari. Ses amis le savent, c'est quelqu'un sur qui l'on peut toujours compter. C'est systématiquement lui qui appelle celui qui ne va pas bien et invite les esseulés à venir passer quelques jours en vacances chez nous. Même les jeunes architectes qu'il embauche ont une belle relation avec lui et viennent parfois nous rendre visite l'été pour nous présenter leurs conjoints et leurs enfants.

J'ai installé Yann Kermezen dans la chambre qui donne de plain-pied sur le jardin.

Nous avons partagé chacun des repas jusqu'au retour de Nathan.

C'était un homme vraiment charmant. Nous avons beaucoup parlé de ses voyages mais aussi de livres.

Il aimait profondément l'Afrique et avait été le photographe exclusif du magazine *Terre sauvage* pour la partie australe du continent. Le Botswana, la Namibie, le Kenya… Dans tous ces pays il avait passé de longs mois en pleine nature, bien souvent accompagné d'un unique pisteur qui préparait avec lui un camp de toile pour la nuit, avant de repartir à l'aube pour suivre les traces des félins ou des éléphants afin de photographier les meilleures scènes avec les plus belles lumières.

Je lui indiquai que tous les livres qu'il avait reçus étaient aussi dans ma bibliothèque et que j'avais été étonnée de voir combien je partageais avec son fils les mêmes goûts. Je ne sais s'il perçut que mon trouble à l'égard de Bastien avait été autant affectif que littéraire.

Je pense que si je créais un Meetic par les livres, je pourrais sérieusement concurrencer la célèbre plateforme Internet. Chacun n'aurait qu'à indiquer les vingt derniers livres qu'il a lus, ses dix livres préférés, mais aussi ceux qu'il n'a pas aimés, et de possibles couples seraient proposés aux utilisateurs ! Bien entendu, cela ne fonctionnerait qu'avec des lecteurs !

J'ai souvent remarqué que dans une conversation, lorsque nous découvrons avec un ou une amie que nous avons aimé un même livre, il y a d'un seul coup une intensité nouvelle dans l'échange. Comme si nous avions vécu ensemble une expédition à l'autre bout du monde.

Quand nous nous retrouvons à dîner pour la première fois avec des inconnus et que je cherche à sortir de la simple conversation de courtoisie, j'interroge les convives sur leurs dernières lectures. Il se crée alors des duos ou des trios de lecteurs d'un même livre et le dîner quitte le terrain des banalités.

Quand je croise à nouveau quelqu'un avec qui je sais avoir partagé l'amour d'un livre, je lui demande avec excitation quel a été son dernier coup de cœur.

Soit nous allons à nouveau avoir une conversation vive et passionnée car nous l'aurons aimé tous les deux, soit je serai impatiente de le lire à mon tour.

Yann me demanda de décrire son fils et, lorsqu'il me sortit de son portefeuille une vieille photo de lui-même, je fus frappée par la ressemblance entre les deux hommes au même âge. Je vis aussi une photo de Mathilde, une jolie fille dont la filiation paternelle était très reconnaissable également.

Nous avons évoqué la Bretagne. Les Kermezen étaient originaires des Côtes-d'Armor, du côté de Tréguier. Yann était né là-bas mais ses parents avaient ensuite rejoint Paris et les racines bretonnes n'avaient plus été entretenues. Il connaissait néanmoins Crozon, mais défendait la côte de granit rose comme étant magique avec ses rochers qui semblaient avoir été posés là par des géants... Une vraie conversation entre deux Français, chacun étant convaincu que sa région est la plus belle.

Les rochers du Trégor me font penser à ceux de l'Aubrac. Dans les deux cas on a le sentiment qu'un géant chaussé de ses bottes de sept lieues a déposé des blocs de granit comme autant de cairns pour retrouver son chemin.

En réalité, ils ont tous raison les Français : nos régions sont les plus belles du monde !

C'est Nathan qui retrouva Bastien le samedi suivant, alors qu'il attendait son tour devant le poissonnier de la place aux Herbes.

Nathan faisait le marché pendant que j'étais à la librairie où Yann Kermezen avait eu envie de passer la matinée à me tenir compagnie, assis sur une petite chaise à côté de la caisse.

Il le reconnut uniquement grâce à la photo que possédait son père.

— Excusez-moi, monsieur, je suis le mari de Nathalie, la libraire. Cela vous embêterait de me suivre à la librairie ?

— Euh... Non. Un souci ?

— Non, c'est un peu compliqué d'en parler devant Clément et ses poissons...

Nathan avait dit cela en souriant. Bastien était intrigué mais le suivit.

En entrant dans la librairie, il ne vit pas son père et regarda naturellement vers moi. J'étais debout devant la caisse, masquant légèrement le vieil homme.

Je fis alors un pas en arrière en posant ma main sur l'épaule de Yann.

Le père reconnut rapidement son fils et se mit à pleurer.

C'est seulement à ce moment-là que Bastien comprit ce qui arrivait.

Il ne bougea pas, fixant celui qu'il avait refusé de voir depuis si longtemps, mais à qui il avait tout de même envoyé des témoignages d'affection lorsqu'il avait appris qu'il s'apprêtait à quitter ce monde.

Bastien m'expliquera plus tard que c'est le notaire de la famille qui lui avait indiqué que son père était rentré en France pour finir ses jours dans un établissement médicalisé.

Je ne pouvais imaginer ce qui se passait dans la tête de Bastien.

Nathan et moi observions les deux hommes.

Le père voulut se lever pour aller vers son fils, mais il n'en eut pas la force.

Bastien s'approcha, lui tendit la main pour l'aider, et le serra dans ses bras.

Nathan était venu à côté de moi.

— Tu n'as pas un mouchoir ?

Nous étions tous les deux très émus devant cette scène de réconciliation.

— C'est quand même génial tout ce qui se passe dans ta librairie !

— Oui, c'est génial...

Nous avons laissé le père et le fils enfin se parler et tenter de rattraper toutes ces années de séparation, et sommes allés déjeuner tous les deux, un peu interdits par l'émotion. Mais la gaieté a très vite repris le dessus.

À partir du printemps, Nathan se lève toujours avant moi. Ce sont les oiseaux qui le réveillent.

Lorsque je le rejoins, il a dressé la table du petit déjeuner et fait chauffer l'eau pour le thé.

Il a déjà bu un café mais il m'attend pour manger.

Nous aimons ce moment tous les deux.

Nathan fait griller le pain, qu'il soit frais ou non. Nous sommes encore une génération où l'on ne jetterait pas un morceau de pain parce qu'il a un peu durci.

Le matin est un commencement. Chaque jour nous l'offre. Le matin est comme un ciel après une bonne pluie d'été. Le ciel a été lavé du voile de chaleur qui rendait l'horizon brumeux et les couleurs moins franches. Le matin n'est jamais le moment de la nostalgie ou des regrets mais celui des envies et des projets.

C'est souvent au petit déjeuner que nous prenons avec Nathan nos petites comme nos grandes décisions.

Ce matin-là, le petit déjeuner n'était pas prêt et Nathan lisait dans un fauteuil de la cour.

En temps normal, je le trouve à son bureau, travaillant à ses plans et préparant la semaine à venir.

Nathan lisait un roman !

Une grande première, car il ne lit que des essais.

Nathan relève la tête et me sourit en me montrant la couverture du livre : *La Voie royale* d'André Malraux.

— Le premier livre que m'a offert mon père. J'avais quatorze ans. Je ne l'ai jamais lu... Regarde ce qu'il avait écrit dedans.

— « À mon fils que j'aime, qui est devenu si grand que je n'ose plus le prendre dans mes bras. Papa. » C'est une belle dédicace, dis-moi.

— Oui. Ça m'a manqué les gestes de tendresse de mon père. C'est vrai que je ne prends pas souvent Guillaume dans mes bras et que je me souviens du jour où je me suis dit qu'il était trop grand pour les câlins. Pourtant la tendresse est une petite clé du bonheur du quotidien. Quand tu me passes la main dans les cheveux ou que nous nous donnons la main en marchant, ce sont des gestes simples mais ils rendent la vie douce.

— Tu as raison... C'est comme quand tu as préparé le petit déjeuner pour nous deux.

J'avais dit cela en souriant...

Je m'assis sur les genoux de Nathan.

— Il ne tient qu'à toi de reprendre ton fils dans tes bras ou de lui écrire un petit mot tendre. C'est sa fête demain d'ailleurs !

— C'est toi qui leur écris pour leur fête... Moi, tu sais bien que je ne fréquente pas trop les saints...

— En tout cas, rien ne t'oblige à être avec ton fils comme ton père a été avec toi.

— Oui, je vais lui envoyer un livre. Peut-être celui-ci, quand je l'aurai terminé.

— Ce serait un joli geste. Les livres peuvent aussi être des témoins que l'on se passe.

— Moi, je vais aller préparer notre petit déjeuner ! Cela fera deux grandes premières dans notre vie le même jour !

Tarik

Les frères de livres

Il est communément admis que notre génération a la chance de ne pas avoir connu de guerre.

Souvent ces propos sont tenus par nos parents qui ont vécu indirectement ou directement les atrocités de celle de 1939-1945.

Mon père a perdu deux frères au début de la guerre. Lui-même est parti en Algérie et son frère aîné en Indochine. Ils en sont revenus mais gardent à vif dans leur mémoire le traumatisme de ces périodes. Il a fallu longtemps à mon père avant d'être capable de nous raconter son séjour en Algérie. Il n'a d'ailleurs pas réussi à nous en parler alors il est passé par l'écrit, délayant l'épisode algérien dans un livret, somme toute assez bref, où il a consigné les grands événements de sa vie. Ses mémoires consacrent peu de place à une véritable expression de son ressenti. Il s'agit davantage d'une succession de faits.

Je pense que la notion de développement personnel est vraiment née avec les enfants de mai 68. Pour nos parents, sans doute au regard des souffrances vécues par leurs propres parents avec la guerre, réussir sa vie consistait assez simplement à fonder une famille, avoir les moyens matériels de vivre et de partir en vacances, et se nourrir suffisamment pour ne jamais connaître la faim.

Aujourd'hui, la dimension matérielle est passée au second plan, la question alimentaire ne se pose plus dans les mêmes termes dans un pays occidental où l'enjeu est davantage de « bien » manger que de se nourrir assez, et il existe plein de personnes qui se sont affranchies de l'idée de famille qui n'est plus considérée comme un incontournable de la réussite.

Le développement personnel fait fureur, parfois au détriment du collectif. Moi je crois qu'il faut trouver le bon équilibre entre altérité et épanouissement de soi-même.

Papa n'a jamais vraiment su mettre de mots sur ses sentiments. Seuls comptaient les faits et non ce qu'ils produisaient émotionnellement.

De ses guerres intérieures, des tristesses qu'il a pu vivre à la mort de ses frères, nous n'avons rien su.

Aujourd'hui, la psychologie étant passée par là, on est tombés dans le travers inverse. Chaque ressenti est décortiqué, analysé, psychanalysé ; non seulement ce que nous vivons mais aussi ce que nous rêvons, ce que nous mangeons, tout est matière à dissection psychologique.

Il y a dans cette volonté de tout expliquer et de tout comprendre quelque chose qui est parfois dangereux.

Le cancer de ma voisine serait lié au fait qu'elle a trop pris sur elle sans exprimer son mal-être à un mari qui était légèrement tyrannique ; le mal de dos du pharmacien, à la pression que lui mettent les impôts, et l'acné d'Élise, aux rapports difficiles qu'elle entretient avec moi !

Vouloir tout comprendre traduit aussi une volonté de tout maîtriser, une angoisse de l'inconnu, une volonté de puissance qui laisse bien peu de place à la dimension spirituelle, au mystère, à ce qui vient parce qu'il vient...

« Mektoub », disent les Marocains pour évoquer le destin. Quelque chose qui s'écrit au-delà de nous et pour lequel nous devons accepter d'être simplement l'encre et non la plume...

Cela ne signifie pas que nous soyons exonérés de responsabilité mais nous libère de l'exigence de réussir notre vie suivant une grille de critères imposés qui serait identique pour tous.

Accepter qu'il y a une part de ma vie que je ne maîtrise pas est tout aussi important que de savoir mettre ma volonté à l'action pour obtenir ce que je veux vraiment. Et c'est parfois bien reposant de se dire simplement : « Mektoub, c'était le destin, laisse-toi porter un peu... »

Je ne sais pas quel type de guerre nous vivons actuellement mais il est indéniable que c'est aussi dans un monde violent que vivent nos enfants. Je suis consciente que ma vie aura été bien plus facile que la leur.

Ces jeunes auront appris l'amour avec le sida, étudié sans savoir si leurs années de scolarité leur permettront d'avoir un emploi, et fait des enfants avec l'hypothèque climatique de la Terre.

Avec Nathan, nous essayons que la maison d'Uzès soit un lieu paisible, une parenthèse leur permettant de poser leur sac avant de repartir en sachant que nous serons toujours là en cas de tempête.

Je fais le filtre des mauvaises nouvelles. J'évite de seriner à Élise les risques de cancer du sein, à Guillaume, ceux des conduites à risque, et à tous les deux, le problème de l'alcool chez les jeunes. Je sais qu'ils sont informés de tout cela, surinformés, et que les réseaux sociaux sont les premiers véhicules des mauvaises nouvelles du monde, rarement des bonnes...

S'affichent en quelques heures devant leurs yeux le père qui pleure toute sa famille disparue dans les vagues d'un tsunami ; l'enfant sans bras, les yeux révulsés après un tir d'obus en Syrie ; les réfugiés somaliens dont la barque s'est retournée au large de Lampedusa...

Parfois j'ai peur. Je comprends ceux qui décident de tout quitter et de partir au fin fond du Canada, dans la savane africaine ou sur une île des Marquises.

Je pense que les mères sont plus sensibles à tout cela que les pères.

Ces derniers ont encore en eux une mémoire génétique de chasseurs-cueilleurs, prêts à se déplacer pour combattre et trouver de quoi nourrir les leurs. Nous sommes celles qui enfantent, celles qui accueillent le premier regard de l'enfant nouveau-né encore bouleversé par sa première inspiration, et qui redoutent d'avoir à recueillir de leur vivant sa dernière expiration.

Élise pourra-t-elle regarder son bébé en lui disant : « Bienvenu mon amour, aie confiance, la vie est belle et n'attend que toi ! »

Je voudrais qu'il en soit ainsi. Je fais tout ce qu'il faut pour qu'il en soit ainsi.

J'essaye de leur faire comprendre que l'on peut être heureux dans sa propre vie, bâtir des projets et s'épanouir avec ceux que l'on aime, sans pour autant culpabiliser pour ceux qui vivent plus difficilement. Le bonheur des uns n'aggrave pas la situation de ceux qui souffrent. Je crois cependant qu'il est important de vivre en ayant conscience de la chance de nos joies, des multiples possibles ouverts devant nous, quand d'autres n'ont qu'un seul chemin à emprunter, parfois pieds nus, et avec une espérance de vie très limitée sous la pression des maladies, des famines ou des guerres qui sont le quotidien du pays où ils vivent.

Je sais en tout cas que jamais l'expression « venir au monde » n'aura été aussi pertinente. Nos enfants sont « du monde » ! Le monde défile sur leurs écrans, Erasmus les invite à sauter les frontières, leurs amis sont américains, chinois ou suédois. C'est peut-être grâce à cela que la terre garde ses chances que la jeunesse universelle provoque une insurrection des consciences, une insurrection nourrie par l'envie de vivre, et non de survivre.

La mère de Tarik a sûrement regardé son fils avec des éclats d'amour et de tendresse.

Quand s'est-il perdu ? Est-ce elle qui l'a perdu ? Peut-être est-elle partie prématurément, laissant un orphelin à son seul destin, prêt à sauter sur une mine à bord de sa Jeep au nord de Kandahar, en Afghanistan.

Tarik est un soldat français de la Légion étrangère.

La Légion est un corps d'armée particulier puisqu'il recrute des hommes qui s'engagent en laissant leur passé aux portes de leur caserne.

Tarik appartient au régiment du génie basé à Laudun, à une vingtaine de kilomètres d'Uzès.

Rien ne me prédestinait à le rencontrer, sauf qu'une librairie mène à tout, même au chevet d'un soldat.

C'est Camille, la responsable du centre de rééducation d'Uzès, qui est venue me solliciter :

— Nathalie, je viens car j'ai une demande un peu particulière à te faire. Nous venons d'accueillir un jeune légionnaire qui n'a pas vingt-cinq ans et qui arrive du Val-de-Grâce, l'hôpital militaire parisien. Il est revenu d'Afghanistan où sa Jeep a explosé sur une mine. Deux de ses camarades sont morts et il a été atteint aux yeux. On ne sait pas s'il retrouvera la vue. Il vient de subir une première opération et une autre est prévue dans deux mois. La particularité de Tarik, c'est qu'il ne réagit plus à rien. Il ne répond pas quand on lui parle. Ne semble plus rien ressentir quand on le touche. Et n'a pas prononcé un mot depuis l'accident. Les médecins ont fait tous les examens neurologiques nécessaires et ils sont formels : il n'y a aucune lésion cérébrale ou nerveuse.

— C'est terrible ton histoire, mais je viens faire quoi là-dedans ?

— On a pensé à toi à cause des livres.

— Ah… mais tu ne m'as pas dit qu'il était aveugle ?

— Justement, la psychologue qui le suit voudrait que nous ne cessions pas de nous adresser à lui, que nous fassions comme s'il entendait tout et comprenait tout. Seulement nos mots sont ceux de la vie quotidienne et elle pense qu'il faudrait réussir à emmener Tarik dans un autre univers. Il est possible qu'il ne veuille plus revenir dans notre monde car celui-ci lui fait trop peur mais qu'il puisse accepter d'en rejoindre un autre, imaginaire. On voudrait savoir si tu ne pourrais pas choisir des livres pour Tarik, et être sa lectrice. Dans la mesure du possible nous prendrions le relais, mais nous n'avons pas beaucoup de personnel. Tu comprends ?

Je ne savais que répondre. Tout d'un coup, dans l'univers protégé qui était le mien, dans cette petite ville hors du temps où tout ne semble qu'harmonie, arrivait l'Afghanistan du journal de 20 heures. J'avais l'impression qu'un soldat ensanglanté sur son brancard était posé en plein milieu de ma librairie.

— Je ne sais pas, Camille. Je ne sais vraiment pas. Ce n'est pas rien ce que tu me demandes là. Il n'a pas de famille Tarik ?

— Peut-être en Croatie, mais tu sais, les légionnaires, s'ils sont dans la Légion, c'est qu'ils ont coupé les ponts avec les leurs.

— Je vais réfléchir et en parler à Nathan.

Pour avoir une conversation délicate, il est conseillé de choisir le bon endroit, le bon moment et la manière...

J'attendis le week-end et entrepris Nathan autour de notre petit déjeuner dominical.

Je lui racontai toute l'histoire et la demande qui m'était faite.

— Je ne sais pas si je suis capable de cela. Si je suis assez solide. Tu te rends compte, il a l'âge de Guillaume !

— Mais ce n'est pas Guillaume... Quelle connerie l'armée !

Il n'y avait pas plus antimilitariste que Nathan. Il avait fait son service militaire à une époque où c'était obligatoire, et considérait cette année comme la pire de sa vie. Il n'avait pas supporté de devoir obéir à des ordres de sous-officiers dont le quotient intellectuel était au ras du sol et qui profitaient de la situation pour humilier les intellectuels qui s'étaient fait prendre dans les mailles de l'armée.

— Ce n'est pas le sujet, Nathan. Toi-même tu as applaudi quand Kouchner a inventé le droit d'ingérence pour venir en aide aux peuples opprimés dans leurs pays. Il faut donc des soldats qui acceptent cette mission.

— Oui, mais ce n'est pas le cas en Afghanistan. Cette guerre, nous n'avons rien à y faire !

— Écoute, Nathan. Arrêtons cette discussion. Je voulais juste t'en parler. Je ne sais que répondre. Mais maintenant que je sais que ce garçon est là, à quelques rues de la nôtre... Il a fait irruption dans ma vie et je crois que je ne peux rester à l'abri de nos beaux rideaux en lin sans réagir.

— Excuse-moi si je m'emporte mais tu sais bien...

— Oui, je sais, l'armée et toi vous n'êtes pas copains.

— Vas-y, tu verras bien. Mais si c'est trop dur, arrête !

Camille me précédait dans la chambre de Tarik.

— Bonjour Tarik, je vous présente Nathalie, elle est libraire sur la place aux Herbes. Elle a accepté de venir vous lire des histoires. J'espère que vous apprécierez...

Puis se tournant vers moi :

— Je te laisse avec Tarik. Merci encore, Nathalie.

Je me retrouvai seule dans cette chambre avec ce soldat immobile. Il avait les yeux bandés. Les bras étendus au-dessus du drap qui le recouvrait. Un long tatouage partait de son épaule droite jusqu'à la main. Il représentait un serpent qui s'enroulait autour d'une croix. Le jeune homme était rasé. Son crâne aussi. Il avait des traits fins. Les lèvres à peine ouvertes étaient sombres et ourlées. J'avais une boule dans la gorge comme si je devais lire devant toute une assemblée de spectateurs exigeants.

J'ouvris le livre, et commençai à lire :

— « Kent Jingfors, biologiste suédois spécialisé dans l'étude du bœuf musqué, a campé un jour dans le bassin du Sadlerochit River, en Alaska, en plein hiver, afin d'essayer de découvrir

187

comment les bœufs musqués pouvaient survivre dans cet environnement... »

J'avais décidé de venir une heure chaque jour, vers midi.

Au bout de trois jours, alors que j'en étais aux deux tiers de *Winter*, le livre de Rick Bass que j'avais choisi pour emmener Tarik bien loin de tout ce qu'il avait pu connaître, je réalisai que son absence de réaction me donnait le sentiment de lire à voix haute dans une pièce vide.

Il fallait que je lise à quelqu'un.

Mais comment lire à quelqu'un dont on ne sait rien ?

— Voilà Tarik, j'ai un souci. De deux choses l'une, soit tu n'entends rien, et cela n'a pas d'importance, soit tu entends tout ce que je te dis et c'est tant mieux. J'espère que cette histoire te plaît et si ce n'est pas le cas, gueule un grand coup ! Je sais en tout cas qu'elle plairait à Guillaume. Guillaume, c'est mon fils. Alors je vais continuer à la lire comme si je vous la lisais à tous les deux. Ça marche ?

Je crus un instant que sa lèvre avait esquissé un sourire mais je crois que ce n'était qu'illusion.

— « L'hiver cache certaines choses et en révèle d'autres. J'admire les belettes, les lapins et les autres créatures sauvages, capables de changer avec les saisons, de se transformer du jour au lendemain ou presque. Il m'a fallu longtemps pour changer complètement – trente ans –, mais maintenant que j'ai achevé ma métamorphose, je n'ai aucune envie de reprendre ma forme initiale. Je n'ai pas l'intention de quitter cette vallée. »

« Voilà les garçons, le livre est fini. La vallée du Yaak est dans le Montana. Je me suis toujours dit que j'irais un jour. Et puis les années passent… Ce qui serait super c'est qu'on y aille ensemble !

Dès les débuts de la littérature, l'évocation de la nature a toujours été servie par des écrivains qui savaient transformer les pages d'un livre en une prairie couverte de rosée ou leur donner l'odeur d'un sous-bois moussu. Mais, petit à petit, à la fin du siècle dernier, la nature est devenue pour les écrivains français un simple décor pour raconter des histoires humaines.

C'est un peu comme si l'exode rural, en coupant les hommes et les femmes de la campagne, les avait aussi rendus moins sensibles, moins compétents pour faire de la nature un vrai personnage de leurs histoires.

Paradoxalement, la société américaine, pourtant championne de l'urbanisation, est restée prolixe en récits de nature. À tel point que les éditions Gallmeister se sont fait une spécialité de nous faire découvrir les auteurs d'outre-Atlantique dont Rick Bass fait partie.

Il existe cependant en France une maison d'édition, très respectable et très ancienne puisqu'elle édita Breton, Char, Gracq et tant d'autres, qui a pris l'initiative, sous l'impulsion des successeurs de son fondateur José Corti, de créer une collection de livres dédiés à la nature. C'est avec bonheur que j'ai dévoré *Lobo, le loup*, le dernier bouquin qu'ils ont traduit d'un naturaliste américain, Ernest Thompson Seton. Cet auteur n'a pas son pareil pour faire un portrait sensible et plein d'humour des animaux qu'il a observés dans la nature, de telle sorte que ses histoires sont dignes des plus belles leçons de sciences naturelles tout en étant des perles littéraires.

Seton m'a donné envie de regarder avec d'autres yeux les lièvres, renards et autres animaux de la forêt que je croise lors de mes balades autour de la maison. Je voudrais être capable de cette observation du petit monde qui m'entoure, apprendre à regarder plutôt qu'à seulement voir, retrouver un regard qui m'intègre dans une véritable interaction avec la nature et non plus en être un simple spectateur.

Notre regard nous met en lien avec les choses, les lieux et les paysages. Il transforme l'énergie qui est en nous comme en toute chose, et nourrit une relation active, interdépendante qui, lorsque l'on en prend conscience, nous inclut pleinement dans l'univers.

Je sortis du centre de rééducation en pensant à tous ceux qui vont ainsi voir un parent dans le coma, une mère atteinte d'Alzheimer ou un enfant né avec une malformation neurologique. Il faut savoir donner, simplement donner, toujours donner. Sans rien qui prenne la forme d'un merci. Juste par amour. Pour l'amour que l'on a partagé, ou que l'on voudrait partager avec celui qui vit de l'autre côté du monde.

En réalité, il existe bien d'autres mondes que le nôtre, et il n'est pas nécessaire de prendre des fusées pour les découvrir. Ils sont là.

La semaine suivante, je commençai *Premier de cordée*.

C'était un nouvel univers. Celui de la montagne. Une histoire belle et forte, d'hommes virils qui se dépassent mais devront apprendre que l'on ne gravit la montagne qu'avec humilité et que, parfois, renoncer est une victoire. Une victoire sur la mort, qui peut attraper celui qui aura continué par orgueil, ou inconscience.

Ce livre avait été le premier « vrai livre de grand » qu'avait lu Guillaume. Il fait encore partie de ses livres favoris.

Tarik a-t-il un jour entendu parler de Frison-Roche ?

Je regardai le jeune soldat. Je me mis à penser que je n'avais en tête que deux images d'un soldat. Il était soit combattant, hurlant et suant, soit blessé, mourant et attendant qu'un camarade abaisse ses paupières. Mon esprit n'avait imprimé que ces deux seules options. Sans doute le résultat des films de guerre.

Ce soir-là, en me couchant, je ne parvenais pas à m'endormir. Je cherchais à imaginer la mère de Tarik.

Avait-elle eu plusieurs enfants ? Que devient une mère quand elle perd un enfant ? Est-ce qu'elle ressent encore sa présence un peu à l'image des amputés qui perçoivent toujours le membre absent ?

J'avais des idées bien sombres. Je voyais bien que l'accompagnement de Tarik était une épreuve singulière. Comme si je devais payer mon tribut de mère du monde en solidarité avec toutes celles qui voient leurs enfants partir au combat.

J'avais beaucoup donné à l'éducation des miens. J'ai cru que nous les avions élevés de façon similaire même si l'une est une fille et l'autre un garçon. « Le choix du roi », comme on dit.

En réalité chaque enfant a son propre destin et une personnalité qui ne doit pas grand-chose à ce que nous essayons de lui transmettre. Il est libre de prendre ou de rejeter, et il est parfois difficile de comprendre pourquoi l'on a l'impression d'échouer avec l'un là où l'on a réussi avec l'autre.

Être parents est une grande école d'humilité où il faut prendre au mot la célèbre phrase du poète Khalil Gibran : « Vos enfants ne sont pas vos enfants. Ils sont les fils et les filles de l'appel de la Vie à elle-même. »

Quand on admet que « réussir » l'éducation d'un enfant c'est surtout lui permettre de choisir librement son propre chemin pour être heureux, on a franchi une vraie étape qui remet bien des choses à leur place.

Avec Guillaume et Élise je vis aujourd'hui deux relations presque opposées. À la prévenance de mon fils pour sa mère et à ses attentions délicates, Élise répond par des piques qu'elle m'envoie en permanence, ne ratant jamais une occasion de monter sur ses grands chevaux comme si elle connaissait tout de la vie mieux que tout le monde. Du haut de ses vingt ans, c'est proprement horripilant !

On dit que les fils ont besoin de tuer symboliquement leur père et les filles de se mettre en compétition avec leur mère.

Je trouve assez injuste que Nathan n'ait pas vraiment à souffrir de son fils alors que mes relations avec Élise sont explosives.

Souvent Nathan doit me rappeler que c'est moi l'adulte et qu'il faut que je cesse de me quereller avec elle comme si elle était une copine de classe.

Je sais bien que cela changera un jour mais, en attendant, j'en souffre vraiment.

Il est certain que ma petite histoire doit être bien insignifiante comparée à celle de la mère de Tarik...

Je finis par m'endormir en ayant réussi à dessiner les contours d'une femme aux lèvres ourlées comme celles de son fils, à la peau sombre, avec un regard doux et triste comme on peut en percevoir lorsque les reportages nous montrent le visage des femmes dans les zones de conflit.

C'est en pensant à sa mère que j'ai choisi mon troisième livre pour Tarik : *Le Château de ma mère* de Pagnol.

— Bonjour Tarik, salut Guillaume. Aujourd'hui on va changer complètement d'atmosphère. Quand Pagnol a écrit ce livre, il a dit qu'il l'avait fait pour apprendre aux petites filles comment leurs fils les aimeront un jour. Je voudrais vous lire *Le Château de ma mère* en pensant à la maman de Tarik qui attend peut-être quelque part l'amour de son fils.

À la fin du livre, quand Pagnol raconte comment le petit Paul tenait très fort la main de son père en accompagnant le cortège funèbre de sa mère, je vis le bandage blanc qui entourait les yeux de Tarik se mouiller.

Tarik pleurait. Ses lèvres s'ouvrirent…

— Elle s'appelait Naïma… ma mère…

Je n'ai rien dit. J'ai simplement pris sa main comme une mère prendrait la main d'un enfant malade.

En sortant de la chambre, j'ai prévenu Camille.

Tarik était de retour. Il entendait, il pouvait parler. Il était vivant.

Le lendemain, j'avais décidé de me rendre à Arles, chez Actes Sud.

La maison d'édition recevait les libraires pour leur présenter les nouveautés qui seraient au catalogue de la rentrée.

Arles est à une heure d'Uzès.

Je réponds rarement aux invitations des éditeurs, mais je reçois toujours leurs représentants qui m'aident à me faire une idée sur le catalogue des nouveautés.

Mais là c'était différent, à Arles il y avait Élise, et j'avais envie de voir ma fille.

— Allô !

— Élise, c'est Nathalie.

— Nathalie ?

— Oui, enfin, maman !

— Mais, maman, pourquoi tu te présentes avec ton prénom ?

— Je ne sais pas... Je ne te dérange pas ?

— Non... Enfin... Un peu, je suis en shooting !

— Ah... Excuse-moi.

— Bon. Qu'est-ce que tu voulais ?

— Je viens à Arles demain. Je vais chez Actes Sud. On peut déjeuner ensemble ?

— Euh... Je ne sais pas. J'ai plein de choses à faire demain. Laisse-moi réfléchir, je t'envoie un SMS.

— D'accord. Je t'embrasse.

— OK. Moi aussi.

— Élise ?

— Oui...

— Ça me ferait vraiment plaisir pour demain...

— Oui, oui, j'ai compris. Je te dirai.

Je me suis retrouvée avec le téléphone dans la main, le regardant comme la lampe d'Aladin d'où Élise aurait pu jaillir.

Mais rien ne jaillit.

Nathan n'était pas là ce soir-là. Pas joignable non plus au téléphone.

Je me couchai un peu seule, sans qu'aucun SMS ne soit venu faire vibrer mon téléphone.

Le lendemain matin, je trouvai un message d'Élise : « Dis-moi où tu seras à midi. J'essaierai de te retrouver. »

J'étais déçue. Un peu vexée par aussi peu d'enthousiasme et je ne répondis pas.

Actes Sud se trouve sur les quais du Rhône. Dans le quartier du Méjan.

L'éditeur a progressivement rassemblé différents bâtiments reliés entre eux par des terrasses, d'étroits passages ou des escaliers de quelques marches qui permettent de passer d'un niveau à l'autre entre deux bâtiments distincts.

Une ancienne chapelle appartient aussi à la maison d'édition et accueille des expositions là où auparavant étaient entreposés les ballots de laine des moutons de Camargue.

Au pied du bâtiment principal, une très belle librairie présente l'ensemble de la production d'Actes Sud mais aussi plein d'autres livres de différents éditeurs.

En entrant, j'étais comme un enfant au palais du bonbon.

Il y a des personnes que l'on rencontre avec qui on a l'impression d'être compris avant de se comprendre soi-même. Comme si la connexion s'effectuait à un niveau où les mots n'ont plus cours.

C'est le sentiment que j'ai eu dans cette librairie. Je n'avais jamais mis les pieds dans ce lieu mais intuitivement je savais exactement où j'étais, avec qui j'étais.

Je saisissais l'ordonnancement qui avait présidé à la mise en œuvre des rayonnages, je pouvais dire les yeux fermés quel auteur voisinerait avec quel autre sur les tables, lesquels auraient droit à des chevalets, et ceux que je ne trouverais jamais ici.

J'étais chez un autre, tout en étant pleinement chez moi.

Je m'attardais au beau milieu des rayonnages quand je vis arriver Élise, un grand carton à dessin sous le bras.

— Bonjour, maman, je suis désolée, mais je ne fais que passer.

— Ah... c'est dommage, je voulais te dire...

— Oui, mais là, je ne peux vraiment pas. Mais je t'ai apporté quelque chose, c'est pour toi.

Élise me tendit son carton à dessin. J'étais un peu désappointée. J'aurais voulu avoir le temps d'un déjeuner, mais elle en avait décidé autrement. Je n'avais rien à lui dire de précis tout en ayant tant à lui raconter. J'aurais voulu lui parler de Tarik, mais aussi de Leïla, de Jacques, et de tout ce que j'éprouvais quand je pensais à elle. Ce ne serait pas pour cette fois.

Je devais accepter ce temps, le laisser passer, ne pas chercher dans mon comportement une quelconque explication, surtout ne pas culpabiliser, lâcher prise, et la laisser venir, revenir...

Élise me fit un bisou et me laissa avec le grand carton.

Je sortis de la librairie, et l'ouvris.

Le titre de l'œuvre était *Ma mère, à la façon de Vik Muniz.*

C'était mon portrait, mais un portrait réalisé par le collage de différents morceaux de papiers déchirés. Je reconnaissais dans chacun des morceaux des bouts de couverture de livres.

Élise avait certainement travaillé à partir de différents catalogues d'éditeurs pour finalement parvenir à ce portrait.

Il y avait dans son geste, et dans la manière de me laisser en plan avec son si beau cadeau, une pudeur qui craignait d'exprimer ses sentiments et préférait du même coup éviter la maladresse d'un échange auquel elle n'était pas prête.

Vik Muniz est un artiste que j'ai découvert avec le documentaire *Waste Land* où l'on raconte comment le photographe a travaillé avec les trieurs de la plus grande décharge à ciel ouvert du Brésil pour composer des photos sublimes, réalisées uniquement grâce à l'assemblage d'ordures issues de la décharge.

Je quittai Arles le cœur léger, convaincue que le jour viendrait où je pourrais à nouveau serrer ma fille dans mes bras sans retenir mes mots et mes gestes.

Je suis retournée auprès de Tarik le lendemain matin. J'étais passée au marché auparavant.

— Bonjour, Tarik.

— Bonjour, Nathalie. Vous avez apporté des fleurs. Je sens l'odeur des roses.

— Oui. Des fleurs et des fruits. Pour faire rentrer de la gaieté dans ta chambre.

— Merci, merci pour tout.

— Comment te sens-tu ?

— Je ne sais pas ce qui s'est passé. Depuis hier les souvenirs remontent. Je me souviens de la piste où nous roulions. Nous devions sécuriser la route de Kandahar pour permettre ensuite à un convoi humanitaire de rejoindre cette région coupée du monde. Normalement nous avons un détecteur de mines qui nous alerte. Je ne comprends toujours pas. Mes deux camarades sont morts. Le sergent Boissière avait deux enfants.

Tarik pleurait.

— Et si tu me parlais de toi, et de Naïma...

— C'est ma mère qui a voulu que je quitte la Serbie. Nous vivions dans une région très pauvre. Mon père est mort alors qu'il travaillait dans une carrière de bauxite et nous habitions avec ma grand-mère. Nous ne mangions que ce que nous cultivions et la terre n'était pas très fertile. Quand la guerre a éclaté dans notre pays, ma mère était inquiète car nous étions musulmans, dans une région à majorité chrétienne. Elle m'a poussé à m'en aller. Sans doute sentait-elle ce qui allait se passer. Je suis parti pour la France. J'ai d'abord travaillé à la taille des vignes, puis à la cueillette des fruits. J'envoyais chaque mois un peu d'argent à ma mère. Un jour j'ai appris que des miliciens avaient incendié notre maison et que ma mère et ma grand-mère y étaient mortes. Ce jour-là j'ai décidé de devenir militaire pour que ma colère serve à quelque chose. Je n'ai pas pu être officier. Je ne savais pas bien lire et écrire car nous habitions trop loin de l'école. Les seules histoires que l'on m'a racontées sont celles que ma mère tirait de sa mémoire. Ce sont les histoires traditionnelles que l'on raconte aux enfants de Serbie. Le premier livre que j'ai découvert, c'est le livre de Rick Bass.

— Mais, tu m'as entendue ? Je pensais que tu n'étais pas conscient à ce moment-là.

— Si, j'ai tout entendu mais je n'arrivais pas à réagir. Je suis même d'accord pour vous accompagner au Montana avec Guillaume ! C'est un peu mon « frère de livres », comme d'autres sont « frères de sang »...

— Tu as raison. « Frères de livres » est une belle expression. C'est vrai que les livres tissent un lien invisible entre ceux qui les ont lus. Guillaume arrive le week-end prochain, pour une semaine de vacances. Je te propose de venir te voir avec lui. Je suis sûre qu'il aura envie de t'écouter raconter ta propre histoire.

— Mais je ne suis pas Frison-Roche !

— Non, mais tu es Tarik. C'est déjà beaucoup !

J'ai accroché le tableau d'Élise dans mon bureau.

Quand Nathan est rentré, il a tout de suite compris d'où il venait.

— Voilà la reconnaissance que tu attendais tant !

— Ce n'est pas une simple question de reconnaissance, j'attendais surtout que le dialogue reprenne.

— C'est un beau début !

— Oui, très beau, mais il y a encore bien du chemin à faire pour que nous soyons libres de nos mots et de nos gestes avec Élise.

En employant le mot « reconnaissance », Nathan savait qu'il touchait un point sensible.

On dit que même les plantes ont besoin d'être aimées pour s'épanouir. Nathan ne manque pas de reconnaissance professionnelle par ses pairs. Moi-même, avant d'avoir ma librairie, et surtout mes clients, c'est de mes proches que j'attendais des retours.

La reconnaissance est acquise à la mère de jeunes enfants, mais quand ils deviennent grands, il ne faut plus vivre dans cette attente. L'attitude d'Élise m'a atteinte à un point disproportionné qui témoignait d'une vie déséquilibrée où je m'étais oubliée au profit des autres. Il a fallu que je restaure l'estime de moi-même, et je dois bien constater que tous les échanges qui se sont développés grâce à la librairie m'ont bien aidée.

Aujourd'hui je sais ce que je ne dois qu'à moi-même.

Je conjugue désormais liberté avec responsabilité.

C'est une situation qui n'est pas sans risque car mon revenu est directement indexé sur les ventes de la librairie. La situation de professeur, sur un plan matériel, est bien moins incertaine.

Mais peu importe. Aux restaurants étoilés j'ai toujours préféré les ciels étoilés. À Uzès, je suis comblée !

Sœur Véronika

Un bonheur simple

Nathan est malade.

Un souffle au cœur.

Cela fait longtemps que je constate qu'il se fatigue vite, même quand nous allons marcher dans la garrigue où les reliefs sont pourtant très doux.

Nathan mène très exactement la vie qu'il faut pour avoir des problèmes cardiaques. Il aime manger, boire, ne pratique aucun sport, et s'est arrêté de fumer seulement quand nous sommes arrivés à Uzès, mais parfois je me demande s'il ne continue pas en cachette quand il est à Paris. Il paraît que les cabinets d'architectes sont les derniers endroits où il est coutumier de voir encore des gens fumer malgré l'interdiction. Ça fait partie du look, de l'ambiance... Les nuits « charrettes » sont autant d'occasions de fumer et de boire. À croire qu'un beau projet ne peut s'achever autrement que sous la pression des derniers jours !

Je n'ai jamais aimé cela, et ne l'ai jamais compris non plus.

J'ai souvent interpellé Nathan en lui demandant pourquoi il tenait tant à creuser sa tombe si vite avec ses comportements autodestructeurs. Pourquoi ne pensait-il pas à ses enfants et à moi.

Bien entendu, Nathan n'a aucune réponse à ma question.

Il est malade et je vois bien que ça me prend la tête.

Je vais à la librairie comme une employée rejoindrait son bureau au Trésor public...

Je n'arrive plus à lire les livres que je reçois et je perçois que mon écoute des clients n'est plus la même.

J'expédie leurs demandes comme si elles m'ennuyaient.

Je suis à mes pensées, et celles-ci sont sombres.

Je suis inquiète.

Même s'il fanfaronne, je suis certaine que Nathan l'est aussi.

Il doit revoir son médecin après avoir fait des examens complémentaires auprès d'un cardiologue.

J'aime beaucoup la cardiologue d'Uzès. Une femme vive et généreuse qui doit connaître intimement de nombreuses familles de notre petite ville.

Nathan revient de chez elle avec l'air maussade.

— Les nouvelles ne sont pas bonnes. Non seulement il faut m'opérer, mais en plus l'état des coronaires n'est pas satisfaisant.

— Tu es inquiet ?

— Un peu, oui...

Je pris Nathan dans mes bras. Il était grand et fort comme un ours mais j'avais l'impression que l'ours était devenu en peluche sous l'effet du diagnostic médical.

Nous étions le vendredi 12 mai.

L'opération était planifiée pour le 10 juin.

Un long mois à attendre.

Lorsque j'arrivai à la librairie le lendemain matin, j'ouvris la porte, j'inversai mon petit panneau mais je me sentais totalement vidée.

Le marché s'animait mais je ne le voyais même pas.

Je n'étais pas allée manger mon morceau de chèvre avec Leïla et je m'apprêtais à refermer la librairie pour rentrer retrouver Nathan à la maison quand sœur Véronika est entrée.

Sœur Véronika est l'une des religieuses de la communauté orthodoxe du monastère de Solan.

Chaque samedi elle vient au marché, tout de noir vêtue.

Sœur Véronika n'est pas impressionnante. Quelques mèches blanches dépassent de son voile et son beau sourire illumine son visage.

Elle a de grosses lunettes qui témoignent d'une vraie myopie mais ses beaux yeux bleus n'en sont que plus présents.

Elle ne vient pas faire ses courses mais vendre les produits fabriqués par la petite communauté de femmes.

Elle arrive comme tous les marchands avant 8 heures, déplie les tréteaux et ordonne son étal : des pots de confitures, des sirops, des pots de miel et du vin. L'un des meilleurs de la région d'après les spécialistes. Certaines cuvées, comme celle de saint Porphyre, sont vendues un bon prix, mais pour les jours de fêtes ça vaut la peine de faire un petit effort !

Je n'ai jamais vraiment parlé avec sœur Véronika en dehors d'un « bonjour » que nous échangeons joyeusement chaque fois que nous nous croisons.

Je ne me souviens pas non plus qu'une religieuse de la communauté ne soit jamais venue acheter un livre.

— Bonjour, vous allez bien ?

— Bonjour, ma sœur, je fais aller. Un peu fatiguée ce matin...

Je ne sais pourquoi je lui répondis ainsi. Était-ce parce qu'elle était religieuse que je m'étais laissée aller à ne pas répondre par un « ça va bien » banal mais qui fait partie des automatismes des échanges introductifs à toute conversation.

— Pas de gros soucis j'espère ?

— Non, non, que puis-je pour vous ?

— Je voudrais savoir si vous auriez *Le Livre de Kells* de Bernard Meehan ?

— Non, je ne l'ai pas, mais je peux vous le commander.

— Volontiers. Vous pensez que vous l'aurez reçu samedi prochain ?

— Oui, certainement.

— Très bien. Et prenez soin de vous car vous n'avez pas votre bonne mine habituelle. Vous êtes sûre que cela va bien ?

— Merci, ma sœur, vous êtes gentille. Ça va aller.

Le livre de Kells...

Quelle étrange coïncidence.

La découverte de ce livre fut l'un de nos moments les plus marquants avec Nathan, lors du premier voyage que nous fîmes en Irlande.

Il est exposé au Trinity College de Dublin.

Manuscrit du VIIIe siècle, il doit sa renommée aux enluminures qui ornent chacune des pages et qui illustrent les quatre Évangiles.

Il est considéré dans le monde entier comme un chef-d'œuvre et il est classé au patrimoine mondial de l'humanité par l'Unesco.

Chaque page est une merveille, les illustrations pouvant être inspirées de motifs géométriques, du règne végétal ou animal, mais aussi d'un univers imaginaire merveilleux et coloré.

Je me souvenais bien de ses dragons aux longues ailes dorées ou des oiseaux du paradis aux plumes bleues et orange.

Après avoir découvert le livre avec Nathan, nous avions décidé de nous rendre à Iona, l'île où avait débuté son écriture. Un endroit magnifique, battu par les vents, et où tous les oiseaux marins nichaient sans crainte des hommes bien peu nombreux à y vivre.

Même si nous ne sommes pas des très grands voyageurs, nous ne réservons jamais les lieux où nous dormons pour nous laisser guider par les rencontres. Le livre de Kells nous mena donc sur cette île qui elle-même nous fit rencontrer Kathy Colly, vieille dame férue de poésie, qui tenait un simple « bed and breakfast » dans une charmante chaumière. Elle avait des hortensias bleus somptueux qui semblaient engloutir sa petite maison.

C'est avec elle que j'avais découvert les poèmes d'Hemingway, en particulier *Les Poèmes de guerre et d'après-guerre* qui sont bouleversants.

Kathy avait perdu son mari sur les plages du débarquement et, dans sa bouche, ils résonnaient avec une belle profondeur.

Lorsque je reçus la commande, je regardai les reproductions tirées du livre de Kells qui m'émurent à nouveau.

Je trouve que l'une des plus extraordinaires est celle de « Chi-Rho », ce qui signifie « Jésus-Christ » en grec.

Autour des deux initiales, une liane sortant d'un vase représente l'arbre de vie relié aux sept groupes d'êtres vivants reconnus par les Celtes : plantes, insectes, poissons, reptiles, oiseaux, autres animaux et l'homme.

Je décidai d'apporter l'ouvrage à sœur Véronika au monastère de Solan.

La Bastide-d'Engras est une commune toute proche, située à une dizaine de kilomètres au nord d'Uzès, mais je n'y étais jamais allée.

Au détour d'un virage, je découvris Solan.

Le corps de bâtiment est un très bel ensemble qui n'est devenu un monastère qu'après son acquisition par les sœurs orthodoxes en 1991.

À partir d'une ancienne ferme, elles ont fait un très beau travail de restauration en conservant cette pierre du Gard qui se dore à la lumière.

Le domaine occupe un vallon composé de terres cultivées surplombées par les flancs boisés de la colline.

J'étais arrivée en pensant assez naïvement que je pourrais voir sœur Véronika mais je trouvai porte close car les horaires d'ouverture étaient très limités.

Je décidai d'attendre en me promenant dans les vignes en contrebas du monastère.

Ici, c'est un vrai labeur de dépierrer les champs pour les cultiver, mais la vigne s'accommode bien d'un sol imparfait, et celles de Solan semblaient épanouies et vigoureuses.

Une sœur ouvrit la boutique du monastère et me permit de faire part de l'objet de ma visite.

Elle me fit entrer dans la cour, puis m'installa dans une grande salle voûtée aux murs délicatement passés avec un mélange de chaux et d'un ocre rose.

La jeune sœur m'apporta un verre de sirop de menthe fait sur place accompagné d'une pâte de fruits.

Elle déposa le petit plateau sur une table, m'indiqua que sœur Véronika allait venir me voir, et sortit.

Je me demandais un peu ce que je faisais là, dans cette salle où les seuls ornements étaient des icônes orthodoxes, au cœur d'un monastère d'une confession orientale bien éloignée de ma culture.

Nathan et moi avons été baptisés mais je suis la seule à avoir fait ma première communion après quelques années de catéchèse.

J'ai voulu que Guillaume et Élise soient aussi baptisés mais ce fut une démarche que je menai seule. Ce qui n'empêcha pas Nathan d'apprécier ces événements pour la fête qui s'ensuivait.

Le sentiment de calme et d'apaisement que j'éprouvais était certainement ce que j'avais espéré trouver dans ce lieu.

Sœur Véronika entra dans la salle voûtée.

— Bonjour, madame, mais que faites-vous ici ?

— Je suis venue vous apporter le livre que vous m'avez commandé sur l'évangéliaire de Kells.

— Mais vous n'auriez pas dû. Nous étions bien convenues que je passerais le prendre ?

— Cela n'a pas d'importance. J'étais heureuse de vous l'apporter.

— Ah, dans ce cas, il ne faut jamais se priver d'être heureuse. C'est la première fois que vous venez à Solan ?

— Oui, c'est vraiment magnifique !

— C'est vrai, mais vous découvrez notre monastère par beau temps, et après de nombreuses années de travaux où il nous a fallu la force de l'Esprit pour nous aider car la tâche était monumentale !

— Mais ce n'est quand même pas vous qui cultivez les champs ?

— Si, chère madame, nous avons été enrôlées par Pierre Rabhi, que vous connaissez sans doute. Initialement nous pensions qu'il allait nous dire à qui nous adresser pour gérer le domaine afin que nous puissions être tout à nos prières, mais en réalité il nous a interpellées en nous invitant à prendre soin de cette terre qui nous était confiée et de toutes les espèces vivantes qui s'y trouvaient. Il nous a même un peu secouées, s'étonnant que les chrétiens aient de beaux discours sur la Création alors qu'ils sont bien peu mobilisés sur les questions écologiques. Cela a fait écho en nous, et nous avons décidé d'être religieuses et paysannes. Il nous a fallu tout apprendre ; des semis aux récoltes, du compost à la mise en conserve, et même jusqu'à la vinification, puisque nous avons désormais une sœur œnologue. Notre vin est très renommé mais ce dont nous sommes les plus fières c'est qu'il est totalement bio ! Mais je parle, et on m'attend justement au potager pour ramasser les navets.

— Je peux venir avec vous ? Je peux vous aider ?
— Volontiers !

Ma demande avait jailli toute seule. Je n'avais anticipé ni de venir ici, ni de me retrouver à ramasser des navets en suivant attentivement sœur Véronika pendant que deux autres religieuses repiquaient des salades.

Le potager de Solan était superbe !

On sentait un entretien constant et une vraie attention à chaque détail. Tout était joli, jusqu'aux fleurs qui bordaient le potager et dont je compris plus tard qu'elles étaient des auxiliaires des légumes et permettaient d'éloigner certains insectes ravageurs des cultures.

— Tout est bio ! Vous ne trouvez pas que c'est merveilleux comme la nature est généreuse quand on en prend soin ! Non seulement nous nourrissons toute notre communauté grâce à ce jardin, mais les confitures et le vin que nous vendons nous permettent de financer nos frais généraux.

— Oui, c'est magnifique ! Tout cela semble si simple et si vivant !

J'avais dit cela avec nostalgie, et sœur Véronika avait perçu qu'il y avait de la tristesse dans ma voix.

Un son mat, comme si deux morceaux de bois étaient frappés l'un contre l'autre, se fit entendre. Sœur Véronika se leva en me regardant.

— C'est tierce, l'office du matin. Ensuite nous déjeunerons. Vous voulez rester avec nous ?

— Mais, j'ai le droit ?

— Bien sûr puisque je vous y invite !

J'assistai à l'office dans la chapelle du monastère.

Je me laissai porter par ces voix de femmes qui priaient avec des mots que je ne comprenais pas. Je me levais en même temps qu'elles et m'asseyais à l'unisson de la communauté.

Mon regard s'arrêtait sur les icônes. C'étaient des visages d'hommes et de femmes, le regard ouvert, bienveillant, ceints de doré, de face ou dans un semi-profil, qui avaient été peints avec soin par des religieuses. La communauté de Solan est rattachée à celle du mont Athos, en Grèce.

J'avais le sentiment de me laisser aller, portée par les psalmodies et l'odeur de l'encens.

J'acceptai ma fatigue, j'acceptai de m'asseoir sans me relever, j'acceptai de laisser mes larmes couler en pensant à Nathan, j'acceptai que sœur Véronika vienne vers moi au milieu de l'office pour m'étreindre dans ses bras et accompagner son geste d'un signe de croix sur mon front :

— Sois bénie, ma sœur. Nous portons tes prières dans nos voix. Elles s'élèvent vers Dieu.

— Merci, ma sœur...

Je ne savais pas vraiment comment l'on prie mais, en sortant de la chapelle, j'avais le sentiment d'être plus légère, plus ouverte aussi.

Je restai déjeuner avec les sœurs et appréciai une cuisine simple mais délicieuse. J'avais la conviction de manger le navet que j'avais cueilli, de sentir les odeurs de la garrigue, de me nourrir du printemps, du vert des jeunes pousses, de la vie qui ne demande qu'à éclore...

Lorsque je pris congé des sœurs, la mère supérieure vint me saluer.

— Sœur Véronika m'a dit qui vous étiez. Soyez toujours la bienvenue parmi nous. Merci pour le livre.

— Merci à vous pour votre accueil. Je peux vous demander pourquoi vous avez commandé ce livre ?

— Bien sûr. Nous avons un atelier d'icônes et nous cherchons à utiliser des pigments naturels. Le livre de Kells a été intégralement réalisé avec des végétaux ou des minéraux. Avez-vous vu les enluminures de ce livre ?

— Oui, mon mari et moi sommes allés au Trinity College. Nous avions été émerveillés par ce travail.

— Je vous comprends. Aucune d'entre nous n'y est allée, mais sœur Véronika a grandi en

Bretagne et reste très attachée à la culture celte dont elle a étudié la civilisation. C'est elle qui nous a parlé du livre de Kells qui est un joyau de l'expression médiévale chrétienne et celte. Elle est restée en contact avec des chercheurs qui essayent de comprendre les procédés utilisés pour parvenir aux couleurs présentes dans ce manuscrit. Après avoir cru que seulement deux moines avaient été les auteurs du livre, on pense désormais qu'ils étaient quatre ; certains d'origine celte spécialisés dans la calligraphie, et au moins un d'origine méditerranéenne où l'on excellait dans l'art des rosaces et des entrelacs. Chaque page enluminée est réalisée avec des pigments minéraux ou organiques principalement composés de rouge, de bleu, de vert, de jaune, de violet, de rose et de blanc. Vous souvenez-vous du bleu que l'on retrouve sur de nombreuses illustrations ?

— Bien sûr ! Il est magnifique. Ni turquoise ni marine, il est unique !

— De récentes recherches ont montré qu'il ne provenait pas de pigments de lapis-lazuli venus du Moyen-Orient comme la plupart des bleus utilisés à cette époque, mais de récoltes locales de guède, une plante également appelée « le pastel des teinturiers », autrefois répandue en Europe. Le bleu du livre de Kells serait donc issu d'un pastel irlandais. Nous voudrions cultiver la guède et retrouver ce pastel.

— Je comprends. Quelle belle idée !

— Revenez-nous voir. Cherchez, vous aussi, votre bleu de Kells. Le bleu est la couleur de l'espoir. Retrouvez vos pastels et ne vous laissez pas prendre dans les ténèbres…

Ces paroles avaient été prononcées sans emphase. Simplement accompagnées d'un sourire.

En reprenant ma voiture, je retrouvai mon portable que j'avais laissé à l'intérieur.

J'avais reçu de nombreux appels et SMS s'inquiétant de ne pas voir la librairie ouverte. Nathan avait cherché à me joindre à plusieurs reprises et il était certainement le plus inquiet de tous.

Je le retrouvai à la maison et lui fis un grand sourire rassurant :

— Tout va bien, mon amoureux. J'étais à Solan pour apporter aux sœurs un livre qu'elles m'avaient commandé.

— À Solan ! Aux sœurs ? Toute la journée ? Mais depuis quand tu fais aussi les livraisons ?

Visiblement, Nathan trouvait tout cela très étrange…

— Écoute, mon amoureux, je comprends que tu trouves cela bizarre et moi-même, en quittant la maison, je ne pensais pas du tout que je passerais la journée ailleurs qu'à la librairie, mais tout s'est enchaîné et je me suis laissé faire. Ce qui est sûr, c'est que cette journée m'a fait un bien fou !

— Je vois ça ! Et puis je remarque aussi que je suis devenu ton amoureux, ce qui est plutôt sympathique même si c'est un peu juvénile comme expression.

— Profites-en ! Tu es mon amoureux et ça fait du bien d'être un peu fleur bleue, le bleu de Kells…

— Qu'est-ce que tu racontes ?

— Tu te souviens du livre de Kells ?

— Bien sûr !

— Tu te souviens du bleu des enluminures ?

— Oui, magnifique !

— Eh bien, figure-toi que l'ouvrage que j'ai livré à Solan porte sur le livre de Kells et que les religieuses cherchent à retrouver ce bleu qui viendrait d'une plante que l'on cultivait autrefois.

— Quelle coïncidence ! Comme j'ai aimé ce voyage ! L'un de nos plus beaux voyages. J'aimerais tant retourner en Irlande ! Pas que pour le livre mais aussi pour les pubs et leur fameuse bière rousse, la Smithwick's !

— Chiche ! Je m'occupe de réserver dans les « bed and breakfast » et on part en juillet !

— Oui, enfin, on verra bien, je ne sais pas...

— Stop Nathan ! Je sais. On sait tous qu'il y a cette opération, mais si tu veux bien, changeons un peu notre pied d'appui, et au lieu de ne vivre que dans l'inquiétude, vivons dans l'espoir. Les pensées précédant les actes, moi je pense que tout ira bien et qu'en juillet on sera en Irlande à chanter dans un pub avec les Irlandais !

— Je serai le premier ravi ! Par ailleurs cela me touche que tu te mettes à prier pour moi ! Après tant d'années passées ensemble, il était temps...

— Ne te moque pas de moi, Nathan. Je sais ce que tu penses. Tu crois que je me fais rattraper par la religion au moment où j'ai besoin d'une béquille pour atténuer mes angoisses. Tu me trouves opportuniste ? C'est vrai que j'ai aimé le moment passé à Solan, j'ai eu le sentiment que la prière partagée avec ces sœurs m'avait rendue moins seule et que, désormais, j'avais un peu réparti sur d'autres épaules le poids de mon inquiétude. Sois un peu tolérant et reconnais que de toute façon, ça ne peut pas te faire de mal.

La semaine suivante, sœur Véronika était au marché. Je lui fis signe de la main alors qu'elle était occupée à servir des clients.

Après avoir remballé son petit stand, elle vint me voir.

— Bonjour, ma sœur.

— Bonjour, ma chère Nathalie, je passais vous dire que nous avons reçu les graines de guède et que nous allons faire nos semis cette semaine. La mère supérieure voulait vous proposer de nous rejoindre pour cela. Y a-t-il un après-midi où vous pourriez venir ?

— Comme c'est gentil ! Lundi la librairie est fermée. Je viendrai volontiers.

Je proposai à Nathan de m'accompagner mais c'était visiblement trop lui demander.

— Tu sais, tu ne vas pas te transformer en moine contre ton gré !

— Peut-être, mais je n'ai nullement envie d'aller écouter des litanies droguées par les volutes d'encens !

— Mon pauvre Nathan, si tu savais, c'est tellement plus doux que ce que tu crois...

Je n'eus pas gain de cause et retrouvai seule le monastère de Solan.

Les sœurs avaient installé des tables à l'extérieur et, par groupe de deux, chacun faisait ses semis. Certains préparaient des choux, d'autres des carottes, et moi les guèdes.

J'étais avec sœur Véronika et je découvris ce geste immuable depuis la nuit des temps, et grâce auquel, dans tous les coins du monde, les paysans nourrissent l'humanité.

Dans chaque petit godet, je mettais un peu de terre bien fine mélangée à du sable, puis je prenais une minuscule graine au bout de mon doigt et la déposais au centre du petit pot avant de la recouvrir d'une fine couche de terre.

— C'est donc cette petite graine toute sèche qui va devenir une jeune pousse ?

— Oui, une petite graine qui, au contact de la terre et de l'eau, développe de fines racines. C'est ensuite la lumière qui nourrit la plante qui s'élève vers le ciel. La lumière, la terre et l'eau, un cocktail magique et éternel. La plante grandit, puis les fleurs apparaissent. Celles-ci donnent des fruits et des graines, et le cycle peut recommencer à l'infini. Rien ne meurt, tout se transforme...

Je repartis de Solan avec deux cadeaux : un petit godet comportant une promesse de guède et une petite icône de la Vierge réalisée par les sœurs.

Le jour de l'opération de Nathan, je l'accompagnai à l'hôpital de Nîmes. J'attendis qu'il parte au bloc et posai discrètement l'icône de la Vierge dans sa chambre. J'avais décidé de rejoindre les sœurs pendant qu'il serait opéré. Les médecins m'avaient indiqué qu'il ne serait pas visible avant la fin de la journée.

À Solan, je retrouvai les religieuses qui taillaient les vignes. J'appris à reconnaître les tiges qui porteraient les fruits et à éliminer celles qui ne feraient que de la feuille et qu'il fallait ôter.

Alors que nous étions dans les champs, régulièrement les sœurs chantaient.

À aucun moment elles ne me questionnèrent sur la raison de ma présence. J'appréciai cette retenue. J'étais la bienvenue, qui que je sois, et quelles que soient mes raisons.

Après le déjeuner, sœur Véronika me montra une illustration du livre de Kells qui ne manquait pas d'humour : un chat poursuivait une souris qui avait volé une hostie. Je souris en pensant à Nathan qui était incapable de ne pas tremper les doigts dans la mousse au chocolat quand je la prépare, ou de s'abstenir de chiper un macaron quand je les sors du four.

Avant de les quitter pour retourner à l'hôpital, je remerciai la mère supérieure pour la bienveillance de toute sa communauté.

— Chère Nathalie, je vais vous faire une confidence. Nous voulons organiser une rencontre de calligraphes de différentes religions à Solan. À cette occasion, je voulais que nous disposions de l'un des 1 480 fac-similés du livre de Kells. Les 680 pages y sont parfaitement reproduites, il y a même les 580 trous faits par des insectes au fil des siècles ! Je viens de recevoir la réponse positive de nos amis irlandais. Sœur Véronika ne le sait pas encore... Si vous le voulez, nous vous inviterons à cette rencontre.

— C'est magnifique ! Merci ! Merci pour tout...

Arrivée à l'hôpital, la chambre de Nathan était vide. Une infirmière m'indiqua que tout s'était bien passé et que Nathan allait bientôt remonter de la salle de réveil.

Il était totalement ensuqué lorsqu'il arriva. Je pris sa main et restai en silence à la caresser.

Lorsqu'il retrouva sa conscience, son regard tomba sur l'icône de la Vierge. Il se tourna vers moi avec un pâle sourire :

— Vous avez réussi votre coup avec tes copines et leur grande chef !

— Oui ! Et cet été, on ira en Irlande... À la recherche de la couverture du livre de Kells.

— Pourquoi dis-tu ça ?

— Tu ne te souviens pas que le livre avait été confié à Kells par les Vikings et qu'il a disparu mystérieusement. Quand il a été retrouvé, la couverture qui était ornée de pierres précieuses avait été arrachée et on ne l'a jamais retrouvée... Il est grand temps que l'on s'y mette !

Je pris longuement Nathan dans mes bras. Tout allait bien puisque nous avions retrouvé notre sens de l'humour.

En rentrant à la maison, seule mais heureuse, une surprise m'attendait : dans le petit pot que j'avais ramené de Solan, une jeune pousse verte était sortie de terre.

« On reconnaît le bonheur au bruit qu'il fait quand il s'en va. »

Marie Griessinger a repris la citation de Prévert comme titre de son premier livre. Elle y raconte la douleur d'une fille qui perd son père d'une lente maladie, dite de « Lewy », où les facultés intellectuelles du malade s'effacent peu à peu.

Ce livre m'a bouleversée car c'est en allant à l'abri des souvenirs heureux que la fille retrouve sa force. Ces souvenirs sont acquis à jamais.

J'avais été amusée de lire qu'Uzès était un des lieux du bonheur de cette famille. La citation de Prévert devrait être accrochée à tous les frigidaires. Il faut prendre conscience chaque matin que ce que l'on a ressemble peu ou prou au bonheur, pour ne pas se rendre compte un jour, mais trop tard, à la suite d'un événement grave de notre vie, que nous étions heureux.

Éduquer à la joie est indispensable. Avec Guillaume et Élise nous avons toujours essayé de prendre la joie comme contre-pied quand l'atmosphère générale était davantage encline à la déprime. C'est pour cela que nous avons décidé de ne plus avoir de télévision à la maison. Les chaînes de télévision étaient dans une surenchère à qui montrera les images les plus dures, donnant une place toujours plus grande aux faits divers au détriment des idées.

Après avoir mis la télévision à la cave, il n'a pas fallu longtemps pour que les soirées deviennent des temps de jeux, de parole ou de lecture. Donner sa chance à la joie, c'est trouver les lieux, les temps et les gens avec qui elle peut naître, mais aussi la reconnaître au milieu du reste. Alors il est possible de la nourrir, de l'entretenir, de la faire grandir et de la partager.

Quand Nathan est entré à l'hôpital pour son opération, je me suis dit que c'était un « jour bascule ». C'est comme cela que j'appelle ces journées où nous avons un rendez-vous important avec notre destin. Cela peut être le jour où nous recevons le résultat d'un concours pour rentrer dans l'école tant espérée, celui où nous-même, ou un proche, faisons un examen médical, ou encore le jour où les salariés attendent de savoir s'il y a un repreneur pour leur entreprise en difficulté.

Des journées où la vie peut prendre une tournure plus difficile. À l'approche de ces moments-là, j'ai souvent remarqué que le niveau de conscience de ma qualité de vie était plus élevé. L'inquiétude devant ce qui pourrait advenir révélait l'état d'être heureux dans lequel je me trouvais.

Arthur

« Deviens qui tu es[1] ! »

---

1. Friedrich Wilhelm Nietzsche, *Ainsi parlait Zarathoustra*.

J'ouvre la librairie le matin à 9 heures mais j'arrive une heure avant pour avoir un moment où je remets en ordre les rayonnages qui ont été dérangés la veille.

En hiver, à 8 heures du matin, il fait complètement nuit.

Ouvrir de nuit est bien plus étrange que fermer quand tout est noir.

J'ai l'impression de réveiller les livres et tous ceux qui dorment dedans. Comme je suis une grosse dormeuse, j'éprouve de la compassion pour tout ce petit monde. Ce matin, c'est dans le rayon des classiques qu'il y a eu le plus de remue-ménage.

Hugo avait la tête à l'envers, Maupassant s'était retrouvé dans les polars et Racine avait rejoint la table des nouveautés.

D'une manière générale, je me déplace à vélo. Un joli vélo hollandais mauve, un peu de la couleur du taxi de Fred Astaire dans le film d'Yves Boisset tiré du livre de Michel Déon.

Un panier est accroché sur le garde-boue avant, un autre sur le porte-bagages à l'arrière. Cela me permet de trimballer des livres dans le premier et le marché dans le second. À Uzès, tout le monde connaît « le vélo de la libraire », et parfois je retrouve dans un des paniers un pot de confiture vide ou quelques fruits ou légumes frais.

En plein hiver, je viens en voiture, et les jours où je dois gratter mon pare-brise j'ai l'impression de vivre en Alaska. Je suis aussi une grande frileuse !

Il en est un autre qui se déplace toujours à vélo, c'est Arthur, le jeune facteur.

Arthur est souvent le premier qui pousse la porte de la librairie. En plus des lettres administratives, il me dépose des livres envoyés à l'unité par les éditeurs indépendants qui ne passent pas par les circuits de distribution des gros éditeurs. Ces livres sont souvent des commandes de clients et j'y porte beaucoup d'attention car je découvre ainsi des perles.

Arthur est plutôt du genre discret. Ses yeux, presque cachés derrière une grande mèche qu'il ne cesse de relever quand il vous parle, sont d'un noir profond. Été comme hiver, il porte une casquette en cuir marron tout élimée qui lui donne l'allure d'un voyou dans un film américain à l'époque de la prohibition.

C'est grâce à Racine que nous avons eu notre premier véritable échange. Voyant le livre que je m'apprêtais à remettre à sa place, le jeune facteur a dit, comme s'il se parlait à lui-même :

— « Et nous avons des nuits plus belles que vos jours »...

— Pardon ?

— Racine. C'est sous le ciel d'Uzès qu'il a écrit cela.

— Je ne savais pas. Mais cela ne me surprend pas, c'est vrai que nous avons de vrais spectacles célestes ici !

— Oui. C'est également ici qu'il a achevé d'écrire ses pensées sur l'*Odyssée* d'Homère.

Je commençai à être intriguée par ce jeune facteur lettré et tentai de prolonger la discussion.

— Vous aimez Racine ?

— Oui. Mais pas seulement, j'aime le théâtre et la poésie. Ici, tous les collégiens ont étudié la correspondance de Racine !

— Comme quoi il vous en est resté quelque chose !

— Oui, c'est grâce à monsieur Chaulet, notre professeur de français. J'attendais chacun de ses cours avec impatience ! Tout a commencé quand j'ai lu *Le Rivage des Syrtes* de Gracq. J'ai découvert que les mots n'étaient pas des outils parasites de la pensée des hommes. Qu'ils étaient plus que le lierre accroché à l'arbre, ils étaient l'arbre.

— J'aime beaucoup *Le Rivage des Syrtes*. Moi aussi, avant de venir à Uzès, j'étais professeure de littérature.

— Ah bon ! Quel dommage d'avoir arrêté !

— Libraire aussi, c'est un beau métier.

— Oh, certainement ! Mais moi je sais que c'est quand j'étais au collège que j'ai été le plus heureux. Alors j'ai beaucoup de reconnaissance pour les enseignants.

En disant cela, un voile était passé un court instant sur les yeux du garçon. Arthur me semblait ne pas avoir vingt ans. Je ne voulais pas poser de question indiscrète, mais il y avait quelque chose qui clochait. À cet âge-là, les jeunes qui ont aimé l'école ne sont pas au travail mais poursuivent leurs études.

— Bon. C'est pas tout ça mais il faut que j'y aille ! Bonne journée, madame.

— Vous pouvez m'appeler Nathalie.

— Alors moi, c'est Arthur.

— Bonne journée, Arthur !

Je me suis promis de reprendre cette discussion avec lui dès que l'occasion se présenterait.

Le lendemain matin, ce ne fut pas le cas, mais le surlendemain Arthur me livrait deux colis et une liasse de lettres.

J'étais en train de préparer une affiche pour annoncer une soirée avec Abdennour Bidar qui venait de publier *Les Tisserands*. Un très beau livre qui développe l'idée que l'homme accède à un fil d'or quand il sait nourrir trois liens : à lui-même, aux autres et à la nature. Les tisserands sont ceux qui réparent le tissu déchiré du monde grâce à ce fil d'or.

— Bonjour, Arthur.

— Bonjour, madame.

— Nathalie...

— C'est vrai. Bonjour, Nathalie.

— Je suis en train de faire une affiche car j'accueille vendredi Abdennour Bidar pour la présentation de son dernier livre et une séance de dédicaces. Ça vous dirait de venir ?

— Volontiers, mais ce n'est pas réservé à vos clients ?

— Non, c'est gratuit.

— Alors je viendrai. J'ai beaucoup aimé sa *Lettre ouverte au monde musulman*.

— Ah bon... Vous avez lu ce texte ?

— Oui. Je l'avais pris à la médiathèque.

Je trouvai très maladroite la façon dont je m'étais étonnée qu'il ait pu lire ce livre, amenant le jeune homme à justifier que c'était grâce à la médiathèque qu'il avait accès aux livres.

— Super ! Vous viendrez alors ?

— Oui, oui.

Les événements que j'organise se passent dans la cave qui est reliée à la librairie par un escalier intérieur. Un petit amphithéâtre composé de quelques gradins en béton brut permet d'accueillir près de cent personnes. C'est un vrai atout pour organiser des animations, indispensables à la vitalité de la librairie et à son rayonnement.

Tous les événements que je propose remplissent la salle.

Le dernier en date était organisé autour de Françoise Huguier à la suite de la parution de *Au doigt et à l'œil*, son autobiographie. Son livre se lit comme un vrai roman d'aventure. Avant de devenir la célèbre photographe unanimement reconnue pour sa capacité à saisir dans son objectif les héros de la vie quotidienne aux quatre coins du monde, elle a connu une enfance marquée par son enlèvement au Cambodge, à l'âge de huit ans. Sans sensiblerie excessive mais avec beaucoup de sincérité, elle nous a raconté ses souvenirs d'enfance avant de commenter certains des grands reportages qui ont fait sa notoriété.

J'avais installé un projecteur qui permettait d'associer ses paroles aux photos. Sans transition, nous passions du Japon à la Sibérie, en faisant escale par l'Afrique, Singapour, Kuala Lumpur... Un point commun à chacune des images, les personnages des photos sont des gens ordinaires dans des situations qui parfois nous dérangent car elles sont bien éloignées de notre quotidien d'Occidentaux. Françoise Huguier nous a raconté comment elle parvenait à pousser la porte de ces anonymes pour qu'ils acceptent ensuite de se laisser photographier dans leur intimité, parfois la plus crue. Chaque photo a son histoire, et j'adore ces histoires.

La soirée avec Françoise Huguier avait marqué les esprits et m'incitait à renouveler les invitations autour de photographes pour qu'ils nous aident à décrypter la grammaire de l'image et son vocabulaire spécifique. Dans un univers où le flot d'images est incessant et où il n'existe parfois comme seul texte que quelques lignes de légende, sans aucune analyse, il est indispensable d'apprendre désormais à « lire » une image au-delà du premier ressenti émotionnel qu'elle peut provoquer.

Quand il est là, Nathan vient me donner un coup de main pour organiser ces rencontres.

Pendant qu'il m'accompagnait pour la soirée avec Abdennour Bidar, je lui ai raconté mes échanges avec le jeune facteur. Je voulais le lui présenter.

— Je ne sais pas pourquoi mais il y a quelque chose que je voudrais comprendre de la vie de ce garçon.

— Tu ne serais pas en train de devenir la plus grande commère d'Uzès !

— Pas du tout ! Je crois juste que ce garçon n'est pas totalement à sa place... Une intuition.

— Ah... alors je m'incline devant la célèbre intuition féminine. Mais tu sais, c'est un joli métier que celui de facteur. On en a bien besoin !

— Oui, enfin, depuis la mise en place des boîtes aux lettres regroupées en HLM au bord des routes, le facteur, il ne voit plus grand monde durant ses tournées. La productivité a encore fait des ravages au détriment du lien social !

— Tu te souviens de la belle chanson de Moustaki que je chantais à la guitare quand je t'ai rencontrée ?

— Bien sûr !

Nous nous sommes mis à chanter en chœur :
« C'est lui qui venait chaque jour
Les bras chargés de tous mes mots d'amour
...
Il a emporté avec lui
Les derniers mots que je t'avais écrits
...
L'amour ne peut plus voyager
Il a perdu son messager. »

Petit à petit, les gradins se remplissaient.

Je guettais l'arrivée d'Arthur mais l'heure de commencer notre soirée était venue et je dus me résoudre à entamer la soirée sans lui.

Tout se passa très bien mais Nathan perçut que j'étais déçue de l'absence du jeune homme.

Le lendemain matin, le jeune facteur ne se présenta pas, non plus que le jour suivant.

J'appelai La Poste pour savoir s'il était advenu quelque chose, mais on me rassura en m'indiquant que je n'avais simplement pas eu de courrier durant ces deux jours.

Lorsque Arthur poussa la porte de la librairie, je fus soulagée, et pus comprendre enfin l'histoire du jeune homme.

— Bonjour, Nathalie. Comme j'ai regretté de n'avoir pu venir à votre soirée. Je suis certain que c'était très bien.

— Oui. Vous nous avez manqué. Vous m'avez manqué en fait... J'espérais que vous seriez là.

J'avais dit cela avec sincérité, sans reproche.

— C'est gentil mais je ne peux pas faire tout à fait ce que je veux le soir. Ma mère tient un restaurant et parfois, quand elle a du monde, elle me demande de lui donner un coup de main.

— Ah bon. Et votre père ?

— Mes parents sont séparés. Mon père vit du côté de Lille.

— Ah... C'est pas facile tout ça.

— Non. Mais c'est comme ça. C'est ma vie.

Je perçus beaucoup de résignation chez Arthur. Comme si sa vie lui était tombée dessus à la façon de la mèche qui lui barrait le visage.

— C'est pour cela que tu es facteur ?

— Qu'est-ce que vous voulez dire ?

— Que tu n'as pas pu faire d'études.

— Oui. Mon père n'a jamais eu de quoi verser une pension alimentaire à ma mère, et la restauration, c'est très aléatoire ! Mais vous savez, je ne me plains pas. Quand on est facteur, à midi on a terminé de travailler, et ça me laisse beaucoup de temps pour lire et pour aider ma mère.

— Mais tu aurais voulu faire quoi si vraiment tu avais pu ?

— Comédien. J'aurais voulu être comédien !

Arthur avait dit cela comme une déclaration, balançant sa mèche en arrière, le regard brillant pour la première fois depuis que je le connaissais !

— Mais Arthur, tu ne peux pas rester ainsi ! C'est pas pour être facteur que la vie t'a été donnée ! Tu veux qu'il y ait écrit « potentiel intact » sur ta tombe !

Je m'étais exprimée sans retenue, mais en disant ces mots je voyais bien que j'étais un peu limite. Qui étais-je pour juger ce qui était bon ou pas pour ce garçon !

— Je suis sûre que tu es fait pour être comédien. Tu serais même un grand comédien !

— Vous êtes gentille mais ce n'est pas possible. Vous ne vous rendez pas compte...

— Écoute. Là nous n'avons pas le temps de parler de tout cela comme il faut. Demain on se retrouve au *Ten* pour déjeuner quand tu as fini ta tournée et on regarde ce qui n'est pas possible. Tu veux bien ?

— OK.

En sortant de la librairie, je croisai Hervé, un homme connu de tous car il chante à la terrasse des cafés. Il accompagne à la guitare de très belles chansons en occitan. Au début de chaque chanson, il effectue une traduction sommaire de ce qu'il va chanter. Cela permet ensuite de comprendre quelques mots au fil du texte.

J'aime parler avec lui car il est celui qui connaît le mieux l'histoire de notre région.

Sa chanson parlait de l'Eure, la source qui alimente Uzès en eau potable.

Elle se trouve dans une petite vallée en contrebas de la ville. L'Eure est très célèbre car, dans l'Antiquité, c'est elle qui alimentait Nîmes, et c'est pour elle qu'avait été construit le fameux pont du Gard.

Les Uzétiens sont fiers de la richesse de leur histoire. Même si parfois elle a été un peu mouvementée : trois fois la cathédrale a dû être reconstruite, et ils ont payé un lourd tribut lors de la persécution des protestants, car Uzès était la cinquième ville protestante de France.

J'ai toujours été curieuse des gens pas comme les autres. Les marginaux sont souvent des visionnaires, des éclaireurs, parfois des résistants.

Ils peuvent exprimer au grand jour des parts de nous-même qui sont enfouies et qu'ils réveillent quand nous acceptons de nous confronter à leur univers.

De nombreux artistes, avant d'être reconnus et adulés, ont vécu dans ces espaces mal définis, exploitant parfois leurs névroses au point d'en devenir des génies.

Combien sont les écrivains, classiques ou modernes, qui ont ainsi mis des mots sur les abîmes de l'âme humaine. Les mots d'Antonin Artaud sont ceux d'un homme qui a été interné de nombreuses années. Virginia Woolf, Hemingway ou Romain Gary se sont suicidés mais nous ont légué certains des textes les plus sensibles de la littérature. Il y en a d'autres aux phobies moins dramatiques : Colette écrivait exclusivement sur du papier bleu, Barbey d'Aurevilly à l'encre rouge et Edmonde Charles-Roux nue !

Récemment, j'ai découvert *Mémoire de fille* d'Annie Ernaux, où elle raconte, à près de quatre-vingts ans, combien sa vie n'a jamais cessé d'être habitée par la honte de sa première relation sexuelle.

J'ai envoyé le livre à Élise, accompagné d'une longue lettre en lui disant combien je lui souhaitais de prendre soin de cette part si intime de nos vies qui peut être facilement ravagée quand nous ouvrons nos bras à des inconnus d'un soir, des inconscients ou des brutes.

La terrasse du restaurant où j'attendais Arthur était baignée de soleil, et permettait de manger dehors, même en plein hiver, le grand privilège du soleil du Sud ! La journée peut commencer sous le givre et se réchauffer très vite quand le mistral ne se met pas de la partie.

Je me demandai si Arthur allait venir me retrouver. J'avais très mal dormi.

Je repensai à la parabole des talents de la Bible dont il me restait un vague souvenir. Je me souvenais notamment d'une interpellation du père à son fils : « Qu'as-tu fait de tes talents ! »

Arthur arriva. Il avait troqué sa tenue de postier pour un pantalon et des bottes de cavalier. Il portait une belle veste en velours noir, et un bandana rouge était noué à son cou. Il n'avait pas quitté sa casquette en cuir, mais il la retira et la posa sur la table en me saluant.

— Je voudrais d'abord te présenter mes excuses, Arthur. Je n'ai aucune légitimité pour te dire ce que tu dois faire de ta vie. Je ne suis pas ta mère, encore moins ton père...

— Ne vous excusez pas. J'aime profondément mes parents, mais je sais aussi que je n'étais pas leur priorité. Cela me touche que quelqu'un s'intéresse à moi. Il n'y a que les profs pour s'intéresser aux enfants des autres. Votre phrase là... « potentiel intact », j'y pense depuis que vous me l'avez dite.

— Alors, si tu le veux bien, on va essayer de parler des raisons qui font que « ce n'est pas possible », comme tu m'as répondu l'autre jour, et qui t'empêchent de poser les actes qui te permettraient d'atteindre ton rêve.

— Je veux bien.

Arthur a commandé un fish and chips avec de vraies frites maison et moi une salade de calamars grillés.

— Je t'écoute, Arthur, dis-moi un peu pourquoi il n'est pas possible que tu deviennes comédien.

— Parce que je n'ai pas les moyens de me payer une école de théâtre, de vivre à Paris, et que je ne peux pas laisser ma mère toute seule au restaurant.

— Elles sont privées les écoles de théâtre ?

— Oui... enfin, pas les conservatoires, mais ceux-là, pour y rentrer, il faut être très doué. Il y a un concours très sélectif. C'est de là que sont sortis Sabine Azéma, Belmondo, Jean Rochefort, et la plupart des grands acteurs.

— Et tu n'es pas très doué ?

— Je ne sais pas...

— Pourquoi on ne partirait pas du principe que tu es très doué. Et que tu vas tout faire pour préparer ce concours. Tu sais en quoi il consiste ?

— Pas vraiment. Je crois qu'il faut jouer différentes scènes issues de répertoires variés.

— Tu pourrais te renseigner.

— Oui, mais vivre à Paris ça coûte très cher.

— C'est vrai. Mais tu peux faire comme ici, trouver un petit job qui te permet de gagner un peu d'argent. Tu ne connais personne qui pourrait te loger, au moins le temps de passer le concours ?

— Non. Enfin, y'a bien une cousine de ma mère, mais ça fait longtemps que je ne l'ai pas vue.

— Et tu penses que tu pourrais l'appeler, cette cousine ?

— Oui...

— Alors je te propose ceci : Nathan, mon mari, a plein de miles offerts par la SNCF qu'il n'utilise pas. Alors tu vas prendre un billet pour Paris, aller visiter le Conservatoire, te renseigner sur ce qu'il faut faire pour y rentrer et passer voir la cousine de ta mère. Pendant ton séjour, tu regarderas aussi les petits boulots que tu peux faire sans que cela t'empêche d'étudier. Et puis ensuite, on s'en reparle. Moi je veux bien te faire travailler tes textes, si tu te décides à présenter ce fameux concours.

Arthur me regardait sans trop croire que cette histoire pouvait devenir la sienne. Il baissa la tête et fit tomber sa mèche pour masquer son regard.

— Et ma mère... Imaginez que je sois pris, elle va faire comment ?

— Arthur, quand tu es né, que crois-tu que tes parents voulaient pour leur enfant, si ce n'est qu'il soit le plus heureux du monde. Penses-tu que cela ait changé ? Elle te dit quoi ta mère aujourd'hui ?

— Que je dois quitter Uzès pour aller vivre ma vie. Ne pas rester ici uniquement pour elle.

— Eh bien, alors ! Sais-tu pourquoi tes parents t'ont appelé Arthur ?

— Oui, c'est à cause du roi Arthur, des chevaliers de la Table ronde. Mais aussi parce que mon père aime beaucoup les histoires de Babar et qu'Arthur c'est le cousin malin de Pomme, Flore et Alexandre.

— Mes enfants aussi adoraient que je leur lise les histoires de Babar. Tu vois, Arthur, ton prénom t'indique l'envie initiale de tes parents. L'impulsion première qu'ils t'ont donnée. Ce qu'ils ont projeté pour toi alors même que tu étais dans le ventre de ta mère et qu'ils n'avaient pas encore croisé ton regard. Le roi Arthur ne peut rester facteur à Uzès toute sa vie... Comment ressens-tu ce que je te dis ?

— Je vous écoute. C'est un peu vertigineux. Mais j'ai envie d'y croire. J'ai la phrase de Sénèque qui me revient en tête : « Quand tu auras désappris à espérer, je t'apprendrai à vouloir. »

— C'est très beau. C'est un sujet de dissertation que j'avais donné à mes élèves. À toi d'en faire un cas pratique.

En quittant Arthur, je ne savais pas si le chevalier monterait vraiment sur son cheval. Je percevais bien combien cela supposait qu'il se débarrasse du costume qu'il avait endossé jusque-là.

Nathalie signifie « jour de la naissance ». Il me va bien ce prénom, à moi qui estime que l'on peut chaque jour renaître à soi-même comme aux autres. J'ai eu la chance de pouvoir vivre dans la fidélité à cette impulsion, tirée par un fil invisible que mes parents avaient tendu au-dessus de ma vie.

C'est important un prénom. Parfois, les prénoms sont tellement chargés qu'il vaut mieux en changer. C'est comme cela que mon amie Sophie s'est appelée Alara, quand elle a pris conscience qu'elle portait le prénom d'une grand-mère qui avait été dépressive toute sa vie. En changeant de prénom elle a voulu rompre avec le fil d'une destinée. Alara signifie « la voie du milieu rouge ». Désormais, elle a choisi celle avec qui elle voulait vivre et traverser la vie.

Durant plus d'une semaine, Arthur a été remplacé par Simon, un facteur joyeux et débonnaire d'une cinquantaine d'années qui était bien plus bavard que le jeune garçon.

— Bonjour, madame ! C'est moi le remplaçant d'Arthur. Il est parti passer une semaine à la capitale ! J'ai repris sa tournée. Normalement, il fait les commerçants et moi les particuliers. Là je fais les deux.

« Mais vous ne perdez pas au change car je suis un facteur qui n'apporte que des bonnes nouvelles !

— C'est merveilleux ça ! Donc jamais de facture ?

— Le moins possible ! En réalité, vous savez, ce n'est pas simple d'être celui par qui arrivent les mauvaises nouvelles, alors j'essaye de forcer un peu le destin. Parfois, quand je remets une lettre recommandée à quelqu'un, je vois de l'inquiétude sur son visage. Alors je reste un peu, le temps que la personne l'ouvre. Souvent les gens n'attendent pas que l'on soit parti pour ouvrir ces lettres-là. Y'a des entreprises, elles licencient leurs salariés sans même leur en avoir parlé avant. Ils reçoivent directement une lettre qui les convoque à un entretien. Ma petite voisine, qui travaille pourtant dans une grosse entreprise de confiserie, ça lui est tombé dessus d'un coup. Alors heureusement que je suis là parfois pour donner des mouchoirs...

— Vous êtes un peu aussi assistante sociale alors !

— Vous ne croyez pas si bien dire. Pour les personnes âgées, malgré les boîtes aux lettres qui sont toutes regroupées, je continue de passer leur porter le courrier chez elles. Si je ne venais pas, elles ne verraient personne de la semaine ! Au moins, je vérifie qu'elles vont bien et puis on se dit quelques mots. Je vais justement aller voir si la mamie qui vit au-dessus de chez vous va bien. Je me demande si elle ne s'est pas abonnée à un quotidien, juste pour ma visite.

— Je ne savais pas qu'il y avait une personne âgée qui habitait dans l'immeuble.

— Ah, ben ça, c'est sûr qu'elle ne sort pas beaucoup. Mais elle fait encore de très bons croquants aux amandes ! C'est ma récompense quotidienne. Allez, à demain !

Je m'en voulais de ne jamais avoir pris le temps de m'intéresser à mes voisins immédiats. Si Abdennour Bidar était là, il me rappellerait que le lien à tisser avec les autres commence par les gens que nous croisons tous les jours sans les voir et par ceux que nous ne risquons pas de voir car ils sont malades, âgés, ou simplement reclus chez eux sous le poids de la vie.

Je me promis d'aller voir la vieille dame, et pas seulement pour ses croquants...

Arthur poussa à nouveau la porte de la librairie le lundi suivant.

Il avait un grand sourire qui en disait long.

— Bonjour, Nathalie. Je voudrais vous remercier. Je ne sais si je vais rentrer au Conservatoire mais vous m'avez réveillé. Je voulais vous offrir ce livre. C'est un peu étrange d'offrir un livre à une libraire mais c'est mon cadeau. J'ai compris que vous aimiez la nature et l'écologie. Pour moi, c'est un livre fondateur autant que Kessel, Giono ou Hugo.

— Merci, Arthur ! Tu fais plaisir à voir ! J'ai seulement mis le réveil à sonner. Celui qui s'est levé, c'est toi !

J'ouvris son paquet et découvris *L'Empire du taureau* de Catherine Paysan.

— Effectivement je ne connais pas ce livre. J'ai beaucoup de chance ! Mais dis-moi, que s'est-il passé à Paris ?

— D'abord, j'ai vu la cousine de ma mère. Son fils fait des études au Canada et sa chambre est libre. En plus, elle m'a dit qu'elle serait heureuse de m'aider car, quand elles étaient petites, ma mère et elle rêvaient d'être danseuses. Elle l'est devenue et ma mère a pris une autre direction. Elle m'a dit qu'elles se répétaient sans cesse entre elles les derniers mots de Philippe Chatel à la fin du conte *Émilie Jolie* : « Faites que le rêve dévore votre vie afin que la vie ne dévore pas votre rêve. » Et puis, j'ai été au Conservatoire. Le concours est dans trois mois. J'ai un texte imposé et je dois choisir aussi un texte moderne et un classique. Vous m'avez dit que vous me feriez répéter, n'est-ce pas ?

— Bien sûr ! Je présume que tu sais déjà qui tu vas choisir comme auteur classique...

— Oui, ce sera Racine... *Andromaque*. Et puis, pour le boulot, on embauche partout à Paris.

Ils manquent de serveurs. Avec facteur, c'est le métier que je connais le mieux !

À l'heure où j'écris ces lignes, Arthur est un élève du Conservatoire de Paris. J'ai passé de belles soirées à travailler avec lui, lui faisant répéter ses textes, chercher la bonne intention, les bons silences aussi. J'eus très vite l'intuition qu'il serait pris au concours car il ne fallait pas une seconde pour qu'il incarne ses personnages de façon saisissante. À chaque fois qu'il jouait, j'oubliais le facteur, j'oubliais Arthur.

Quand Arthur a su qu'il était reçu, il m'a invitée avec Nathan à dîner au restaurant de sa mère.

Une très belle femme, se tenant très droite, avec une grande élégance. Quelqu'un dont on perçoit aussi que la vie ne l'a pas épargnée mais qui reste fière. Ce soir-là, sa plus grande fierté, c'était son fils !

Solange

De l'importance de cultiver son jardin secret

Dans le Gard on se fait trois bises, c'est comme en Ardèche.

Au début, ça surprend et on retire sa joue un temps trop tôt. Puis on prend le pli. Cela permet de reconnaître les nouveaux venus des plus anciens.

Nathan est énervé par ce rituel et préférerait vivre dans un pays islamique ou hindouiste où personne ne touche personne pour se saluer.

Moi, j'aime toutes ces petites choses qui caractérisent les us et coutumes différents et combattent du même coup une uniformisation qui est déjà suffisamment à l'œuvre par ailleurs.

En Inde, le joli « namasté » ne donne lieu à aucun contact physique mais est un geste très symbolique, alors qu'aux États-Unis le « hug » est une accolade où seule une joue touche celle de son interlocuteur. Chez les Inuits de l'Alaska, on se frotte le bout du nez ; eh bien, en France, ce sont deux bises, et dans le Gard trois !

Nathan affirme que nous serions du même coup l'un des pays où les épidémies se propagent le plus vite car personne n'imagine de cesser de

249

faire la bise à son voisin lorsqu'il est malade. C'est ainsi que tous les élèves d'une même classe ont des poux quand l'un d'entre eux en est porteur et que tous les architectes de son cabinet attrapent une gastro dès qu'elle est apportée par le premier d'entre eux.

— Je trouve cela totalement irresponsable. Ça peut planter complètement le rendu d'un chantier ! Et pour ne rien arranger, c'est désormais à la mode que les hommes s'embrassent aussi entre eux pour se dire bonjour. Cette nouveauté s'ajoutant à celle des barbes mal rasées, on se fait gratter la joue par la partie verte d'une éponge Spontex toute la journée !

— Écoute, Nathan, tu es le patron de ton agence donc tu n'as qu'à modifier le règlement intérieur : bises interdites, barbes interdites, hommes interdits ! Une vraie dictature en plein Marais ; ça peut te valoir une belle publicité !

Je crois que Solange s'est installée dans la région à peu près en même temps que nous.

La première fois que je l'ai rencontrée, c'était à Terralha, le festival de céramique de Saint-Quentin-la-Poterie.

La petite ville organise plusieurs fois par an des événements pour inviter les visiteurs à pousser la porte des ateliers. Terralha est l'occasion de rassembler des artistes venus de tous les pays européens.

Je ne rate jamais ces moments organisés à Saint-Quentin qui me permettent de découvrir de nouveaux talents ou de suivre l'évolution du travail des céramistes permanents.

Dans ma troisième vie, je serai sans doute potière. La relation à la terre, matière organique et sensuelle, puis le travail d'émaillage donnent le sentiment que l'œuvre, au contact du feu, se transforme par l'alchimie du talent humain conjugué à des forces mystérieuses.

François est l'un des potiers dont le travail me plaît le plus.

Son atelier est tout en haut de la rue. C'est chez lui que je voudrais faire un stage. Quand je pousse sa porte, je ressors rarement sans un vase, une jarre ou un plat. Ses formes sont sobres, ses teintes claires sans être vives, et la cuisson raku achève de donner à ses pièces le sentiment qu'elles ont déjà une histoire.

La galerie *Terra Viva* renouvelle régulièrement ce qu'elle expose et il y a toujours un vernissage pour présenter les nouveaux talents.

Solange s'y trouvait et c'est là que François nous a présentées.

Trois bises... dont une que je lui fis dans l'air.

— Ah oui, je ne suis pas encore habituée, ici c'est trois. Excusez-moi.

— Ne vous inquiétez pas, cela m'arrive aussi d'oublier la troisième.

Solange avait l'enthousiasme des convertis. Elle aimait tout ! La région, les gens d'ici, le vin, les potiers de Saint-Quentin auxquels elle avait prévu de dédier un grand mur de son salon pour accueillir vasques, pots et autres créations achetées au gré des saisons.

On devrait toujours cultiver ce regard neuf sur les choses. Ce serait bien plus simple si nos émotions ne s'érodaient pas avec le temps.

C'est une vraie philosophie de vie de savoir regarder le soleil se lever le matin et disparaître le soir comme si nous étions au premier matin du monde, de s'émouvoir chaque année au chant du loriot lorsqu'il revient coloniser les lisières des forêts, et de garder intact notre émerveillement devant l'ombre chinoise d'un grand arbre sur la toile de la pleine lune.

Ce ne sont pourtant ni le soleil, ni le loriot, ni la lune qui changent, mais notre regard qui oublie de voir, s'use, et s'habitue.

C'est vrai aussi de l'homme qui nous accompagne. À part de grands dissimulateurs, rares sont les hommes qui perdent leurs qualités premières comme un arbre ses feuilles à l'automne.

Cessons de croire que le soleil, le loriot, la lune ou l'homme à notre bras sont acquis pour toujours et vivons comme s'ils pouvaient disparaître. Non pas dans l'angoisse de leur disparition, mais dans le bonheur de leur existence.

C'est d'ailleurs le message commun à tous les livres de développement personnel : aujourd'hui est le premier jour du reste de ta vie. Il n'existe d'autre temps à vivre que le présent, alors vis !

Solange faisait partie de ces femmes que l'âge semble ne pas affecter. Le regard franc et direct, un port altier servi par une grande taille. Des cheveux denses et simplement rassemblés par un long pic de bois laqué.

J'aurais bien aimé lui ressembler, moi qui considère ma taille trop petite, mes hanches un peu trop larges, mes yeux déjà cernés de rides qui ne pourront que se creuser davantage, et ma bouche où s'efface déjà la lèvre supérieure...

Ce n'est pas faute d'avoir ri !

Mais nous ne sommes pas tous égaux devant les années qui s'écoulent.

Solange était accompagnée d'un homme qui donnait à leur couple une belle prestance. Impossible de ne pas les remarquer.

Nathan aussi était un bel homme mais je m'étais souvent dit que je n'étais pas totalement à la hauteur. C'est un peu idiot comme impression car un couple est porté par tant d'autres souffles invisibles qui font gonfler ses voiles. La seule esthétique n'est que l'expression visible d'un dé aux multiples facettes.

Quelques semaines plus tard, Solange entra dans la librairie avec son mari.

— Bonjour, nous voudrions vous commander des livres.

— Bonjour, bien sûr, on va d'abord regarder s'ils ne sont pas sur les étagères.

— Je ne les ai pas vus. Il s'agit du *Manuel des jardins agro-écologiques* de Pierre Rabhi, de *Itinéraires d'un jardinier* de Pascal Cribier et de *Alternatives au gazon* d'Olivier Filippi.

— Effectivement, je n'en ai aucun.

— Nous voulons dessiner un jardin qui soit adapté aux contraintes climatiques de la région. C'est pour cela qu'on nous a conseillé ces ouvrages.

— Vous avez un grand jardin ?

— Deux hectares. Je voudrais aussi faire un potager mais Luc a des *a priori* et il considère qu'un potager n'est pas joli. Je vais tâcher de le faire changer d'avis. Quand il verra les feuilles de choux rouges s'épanouir et briller aux premiers rayons de lumière sur la rosée, il va craquer.

— Si vous aimez les jardins, ne ratez pas le jardin médiéval d'Uzès. Dans un tout petit espace, vous découvrirez un univers très poétique. Il y a une belle collection de plantes aromatiques et médicinales qui vous donnera des idées pour votre jardin.

— Merci. Nous irons. N'est-ce pas, Luc ?

— Bien sûr, ma chérie.

Solange revint me voir l'automne suivant, puis au printemps.

À chaque fois elle me commandait des livres de jardinage.

Elle avait un goût très sûr et me faisait du même coup découvrir des publications que je commandais à nouveau pour les avoir en rayon.

Comme c'est Nathan qui s'occupe de notre jardin, je ne suis vraiment pas une spécialiste. Et puis notre jardin est davantage une grande cour aménagée avec une inspiration très toscane autour de quelques beaux oliviers, trois grands cyprès, des agapanthes et des lavandes ; ce qui ne conduit pas à se poser beaucoup de questions.

Lors de sa visite printanière, je trouvai Solange plus nerveuse. Je lui demandai si elle était contente de ses plantations.

— Oh oui ! Le jardin est magnifique. Nous avons de grandes glycines qui donnent au jardin tout son parfum et les rosiers commencent à éclore avec de très belles fleurs. Chaque jour, je fais un bouquet pour que Luc soit réveillé par la caresse de leur parfum. Nous avons une belle fontaine et il aurait voulu que nous habillions ses pourtours. Je suis allée voir Mathieu, aux *Pépinières de l'Aqueduc*, et il m'a conseillé les agapanthes.

— J'aime beaucoup les agapanthes. C'est très beau. Chez nous, il y en a des blanches et des mauves.

— J'ai un peu peur que Luc considère cela comme trop présent et manquant un peu de subtilité...

Moi je trouvais cela parfaitement subtil mais je ne fis aucun commentaire. Puisque c'était Luc par-ci, Luc par-là... Je n'allais pas intervenir dans un choix qui semblait porteur d'un tel enjeu !

Les Pépinières de l'Aqueduc sont une référence. Les plantes y sont très belles et Mathieu prodigue d'excellents conseils.

Combien de femmes amoureuses des jardins sont aussi un peu sous l'emprise du pépiniériste, rendant les hommes un peu jaloux de ce beau parleur qui sait très bien gérer son affaire en proposant les couvre-sols qui vont bien, le magnolia qui vous fera des fleurs à faire pâlir un perroquet, le vieil olivier qui trouvera sa place à l'angle de la piscine...

Mathieu est aussi oléiculteur. Il a un moulin à olives où chacun peut venir faire presser sa récolte.

Cela fait partie du chic uzétien que de cuisiner à l'huile issue de ses propres oliviers ! Ce n'est pas avec nos six arbres que nous allons assaisonner nos salades, aussi n'avons-nous pas succombé à ce caprice.

Mais il faut reconnaître que c'est chez Mathieu que nous avons vraiment découvert l'huile d'olive. Nous en avons goûté différentes sortes, un peu comme si nous étions dans la cave d'un grand château du Bordelais. Les termes utilisés, tout comme la méthode de dégustation, sont très proches. Ses huiles ont de très belles teintes, des plus dorées au vert tendre. À chaque fois le goût offre une palette de sensations extrêmement variées. Moi j'aime les huiles un peu poivrées. J'en mets partout !

Il y a essentiellement deux périodes pour les jardins : l'automne où l'on plante, et le printemps dévolu à la taille et où certains passent des heures à arracher les herbes sauvages. Je ne dis plus « mauvaises herbes » depuis que je me suis fait reprendre par mon ami Mathieu. Il m'a dit qu'il n'y a aucune herbe mauvaise, simplement certaines qui sont les bienvenues quand d'autres ne le sont pas.

L'été est un joli moment aussi pour ceux qui ont des vergers ; c'est le moment des récoltes des abricots, des prunes et des figues… et des confitures !

Solange revint dans la librairie en septembre, la mine défaite. J'avais l'impression qu'elle avait vieilli de dix ans en un été !

C'était un mardi, en début d'après-midi, la librairie était vide.

C'était la première fois qu'elle ne se dirigeait pas vers le rayon « jardin », mais vers celui du développement personnel.

Elle revint avec *L'Homme qui voulait être heureux* de Laurent Gounelle.

Pour moi, c'est toujours un signe. Celui qui s'achète un tel livre, c'est comme s'il écrivait sur son front « Je ne vais pas bien ».

— Bonjour, Solange, comment allez-vous ?

— Bonjour, Nathalie. Moyen. L'été a été très dur. Beaucoup de passage. Quand les amis des enfants partaient, c'étaient nos copains parisiens qui débarquaient. J'ai eu l'impression d'avoir passé l'été dans les cuisines d'un hôtel de 40 chambres ! Sans compter les draps à changer à chaque départ, les lessives à étendre, et chacun qui trouve tout à fait normal que tout cela se fasse tout seul. Je pense que Luc a pu se reposer, mais moi, je suis heureuse que la rentrée soit enfin là. C'est le début de mes vacances, mais sans Luc, car lui aussi a repris le travail. Et puis, il y a aussi beaucoup de plantes qui m'ont déçue. J'avais acheté des hortensias qui ont beaucoup souffert du climat. Luc adore ces plantes qui lui rappellent la Bretagne mais elles ne sont pas adaptées à la région. Il ne veut pas l'intégrer et s'en prend ensuite à moi quand ça ne marche pas.

Elle avait les larmes aux yeux et semblait prête à craquer.

Nous n'étions pas vraiment intimes et j'hésitai sur la conduite à tenir : fermer les yeux et la laisser partir avec Gounelle, ou lui tendre une perche pour qu'elle puisse me parler si elle le souhaitait.

Mais on ne se refait pas, et je n'avais pas grande confiance en Gounelle et autres auteurs tels que Paulo Coelho pour résoudre son problème...

— Ben dites-moi, ça ne va pas fort effectivement !

Il n'en fallut pas plus pour que les sanglots affluent. Je tendis mon tabouret à Solange. Entre deux sanglots, je saisis quelques mots que j'avais bien du mal à relier :

— Luc... le lagerstroemia... la piscine a tourné... le lagerstroemia avec ses fleurs... il a tout taillé... la chambre du grenier... Thomas... tombé...

— Pleurez, Solange. Vous me raconterez ensuite.

Il était 17 heures mais je ne pouvais pas accueillir un autre client dans de telles conditions. J'ai éteint la vitrine et retourné mon petit panneau pour indiquer que la librairie était fermée.

Quand Solange se fut calmée, je compris que j'avais en face de moi une femme qui était totalement épuisée par un été passé à s'occuper des autres, et en particulier à vouloir satisfaire un mari passablement tyrannique.

Son petit-fils Thomas, que sa fille lui avait confié pour quelques jours, avait chuté d'un escalier en montant au grenier, ce qui lui avait valu une belle frayeur sans conséquence. La piscine avait tourné en plein mois d'août alors que la maison était pleine d'invités. Et Luc, qui n'avait rien compris, avait taillé le lagerstroemia qui n'avait pas encore fait ses fleurs, au lieu du magnolia...

Solange me faisait de la peine. Nous avions sans doute le même âge et je me souvenais d'elle la première fois que je l'avais vue. Je l'avais trouvée belle, portant son âge avec audace et s'habillant en suivant les dernières tendances de la mode.

Je sais que la cinquantaine est un tournant que les hommes négocient mieux que les femmes. Chaque matin, notre miroir nous claque au visage celle que nous ne sommes plus. Chaque ride autour des yeux souligne l'empreinte des nuits passées à danser et il ne reste qu'à se sourire en appliquant sans trop y croire un fluide anti-âge.

Son histoire devait ressembler à tant d'autres. On invite les couples à se préparer à la retraite, mais, avant cela, il faudrait qu'ils se préparent à ce moment particulier où les enfants quittent la maison et où il faut redéfinir ce qui motive un homme et une femme à vivre chaque jour ensemble, encore...

La librairie a joué un rôle important dans notre histoire. Je ne me serais pas satisfaite longtemps des seuls échanges avec Nathan pour savoir s'il avait aimé la façon dont j'avais retapissé la méridienne ou réaménagé la chambre verte avec des rideaux en belle laine blanche du Maroc.

Je pense que chaque femme porte en elle le risque de devenir comme Solange, et qu'à cinquante ans, plus qu'à trente, nous avons besoin d'être reconnues pour ce que nous sommes car nos atours féminins ne provoquent plus les mêmes effets qu'auparavant pour que s'attarde le regard de celui qui nous a connue au printemps de la vie.

J'ai rencontré de très belles femmes d'âge mûr dont la beauté prend sa source dans ce qu'elles n'ont jamais cessé d'être, mues par une activité totalement indépendante de celle de leur mari.

Je savais que j'aurais pu devenir une Solange, et c'est sans doute cela qui nourrissait ma compassion pour cette femme. Une compassion boomerang ; je devais parvenir à la sauver car sinon c'est un peu de moi-même que je laissais en souffrance.

— Vous aimez jardiner, Solange ?

— Oui, bien sûr !

— Je vous repose la question autrement : vous aimez jardiner comme une femme qui prépare un dîner pour son mari qui va bientôt rentrer et espère qu'elle sera complimentée ? Ou vous aimez jardiner pour vous-même, indépendamment de l'appréciation de Luc ?

— Je ne sais pas. Je crois que j'aime vraiment la nature. Elle m'emmène dans ses branches et me porte au vent. J'aime poser ma main sur la pierre d'un muret réchauffé par le soleil. Il n'y a rien que je trouve plus érotique qu'un bourgeon qui s'apprête à éclater sous l'assaut du printemps !

— Mais là vous me parlez de nature, pas de jardin. Un jardin, c'est un univers cultivé, où rien n'existe sans l'intervention humaine. Le dessin d'un jardin n'est pas celui de la nature, il est d'abord né d'un esprit humain, conduit par son imagination, taillé par ses mains. Ce n'est pas du tout la même chose !

— C'est vrai, vous avez raison. Mais pourquoi vous me posez cette question ?

— Parce que je pense que si vous en êtes là, c'est parce que vous avez cultivé un jardin pour d'autres et oublié de vous occuper du vôtre. Il faut retrouver les allées de votre jardin intérieur avant de tailler celles où vous espérez que Luc se promènera. Je vous propose de laisser le livre de Gounelle et de lire *Chimères* de Nuala O'Faolain. Je vous le prête, vous le lisez, et s'il vous plaît, vous l'achèterez.

— Cela fait bien longtemps que je ne me suis plus autorisé le temps de lire un roman... Mais je suis d'accord.

— Oui, prenez du temps uniquement pour vous. Ne vous justifiez pas, acceptez de vous faire une grande théière de thé et de passer l'après-midi non maquillée, à peine habillée, dans un canapé devant votre cheminée. Vous verrez, c'est plutôt sympa...

Elle accepta la proposition.

Comme il est facile de se faire engloutir dans les désirs des autres au point de n'être plus capable d'identifier ses propres envies !

Je suis reconnaissante à Nathan d'avoir toujours été sensible à ce travers. Je me souviens d'interpellations qu'il savait faire au bon moment : « Mais tu en as envie toi aussi ? Tu fais cela pour moi ou pour toi également ? Là, tout de suite, tu rêverais de quoi ? Tu sais que je ne t'aimerais pas moins si tu faisais quelque chose que tu apprécies ! »

Faire plaisir à l'autre, quand cela devient un mode de fonctionnement et non plus un choix fait en pleine conscience, est un piège.

Combien de femmes ai-je pu voir sacrifier leur carrière et leur vie personnelle pour s'occuper de leurs enfants.

Au début, tout va bien. Les enfants sont petits et témoignent tellement d'affection à leur mère que la reconnaissance est permanente, puis ils grandissent et deviennent de plus en plus indépendants. La mère a alors le sentiment de n'être plus qu'un taxi ou une intendante.

Pendant toutes ces années, le mari, lui, a poursuivi sa carrière.

Le réveil est alors violent.

En réalité, il s'est alors constitué une ardoise invisible de tout ce à quoi la femme a renoncé et qu'elle présente alors à ceux qui vivent avec elle, comme quelqu'un qui voudrait qu'on lui rembourse des dettes.

Comme rien n'a été énoncé, que tout s'est fait par tacite reconduction, personne ne comprend cette réaction tardive. Découverte terrible que celle de constater alors, pour celle qui s'est oubliée, que personne ne lui a rien demandé et qu'elle s'est construite elle-même un chemin d'amertume et de frustration que rien ne pourra combler.

Il est alors trop tard...

Je crois que la première règle d'or de l'amour est qu'il ne doit pas faire souffrir, jamais ! Un amour qui fait souffrir est le signe qu'il faut vite le quitter...

Je pense que la seconde règle d'or est qu'aimer ne doit jamais se faire au prix de soustractions, mais seulement d'ajouts.

Quand nous nous sommes rencontrés avec Nathan, il adorait la montagne, ce qui n'est pas mon cas. J'ai peur dès qu'une pente est un peu forte, et je n'aime pas la vision des grandes falaises que lui-même apprécie.

Très rapidement, nous avons intégré des moments où Nathan partait seul en montagne, ou avec ses amis, pour ne pas renoncer à sa passion, alors que moi je faisais des stages de yoga qui n'intéressent pas du tout mon mari !

En revanche, il a découvert le cinéma grâce à moi, et j'ai découvert l'art contemporain à son bras.

Parfois, nous devons faire des compromis, mais nous veillons alors à ce qu'ils soient suffisamment discutés pour qu'ils deviennent une preuve d'amour, et non un dû.

Un ami prêtre, qui accompagnait de nombreux couples vers le mariage, considérait que pour réussir son mariage il ne fallait jamais oublier l'usage de trois mots indispensables : « merci », « s'il te plaît » et « pardon ». « Merci » pour ne jamais considérer un gentil geste de l'autre comme une habitude. « S'il te plaît » pour que les demandes ne deviennent pas des ordres au fil du temps. Et « pardon » car on ne passe pas toute une vie sans se faire mal, et qu'il est alors indispensable de s'en excuser.

Comme Nathan est autant anticlérical qu'antimilitariste, nous ne nous sommes pas mariés, mais nous avons bien intégré ces conseils et on s'en sort plutôt pas trop mal...

Solange est revenue à la librairie quelques semaines plus tard avec un bouquet de roses.

— Elles viennent directement du jardin. C'est pour vous !

— Merci. Elles sont magnifiques !

— Oui, leur nom c'est « Arthur Rimbaud ». Un vrai bouquet pour une libraire. Mais faites attention car elles piquent.

— Je suis touchée de votre attention. On dit que là où il y a le plus d'épines se cachent les plus belles roses !

— Voilà qui va me redonner le moral car j'ai les jambes bien écorchées par mes rosiers...

— Alors, *Chimères* ?

— Vous avez eu raison de me proposer de découvrir la vie d'une autre. Elle a raison Nuala O'Faolain, une femme doit d'abord être capable de générer du bonheur pour elle-même si elle ne veut pas se trouver dans une dépendance affective avec son compagnon. C'est touchant de voir comment cette femme accepte finalement sa situation de célibataire comme étant celle qui lui permet le plus grand épanouissement. Je n'en suis pas à souhaiter vivre seule, mais j'avais besoin de ces quelques jours de solitude. Découvrir le point de vue d'une autre m'a permis de revoir le mien et de sortir de mon impasse. J'ai vraiment suivi votre conseil à la lettre : pendant deux jours je n'ai fait que lire et réécouter avec un casque les albums de Pink Floyd que j'avais oubliés au siècle dernier ! Je me suis nourrie d'une banane et de quelques bols de muesli et quand Luc est arrivé, il n'y avait rien dans le frigo. Du coup, nous sommes allés ensemble au marché de la place aux Herbes où il n'avait pas mis les pieds depuis des mois !

— Super ! Il vous a invitée à déjeuner sur une terrasse ?

— Ah non ; on n'en est pas encore là !

— Je serais heureuse de rester un peu dans l'univers des autres avant de rejoindre le mien. Vous auriez un autre livre à me conseiller ? Un vrai livre de femme ?

— Vous avez vu le film *The Hours* de Stephen Daldry, avec une très belle musique de Philip Glass ?

— Non.

— Alors lisez *Mrs Dalloway* de Virginia Woolf. Le film a été construit autour de ce livre. Les deux sont des chefs-d'œuvre !

— Merci. Je vous l'achète en même temps que je vous règle *Chimères*.

Je remarquai que la main de Solange tremblait légèrement lorsqu'elle me paya les livres.

— Ça va, Solange ?

— Vous me demandez cela à cause de ma main ?

— Oui. C'est nouveau ?

— Oui, j'ai ça depuis que je prends les anti-dépresseurs prescrits par mon médecin.

— Écoutez, je ne suis pas médecin et vous avez le droit de ne pas écouter ce que je vais vous dire car je sors largement de mon rôle. En tout cas, je pense que les anti-dépresseurs peuvent certes être utiles pour surmonter de fortes crises mais que, dans d'autres cas, ils créent une forme d'insensibilité qui ne nous permet plus d'être réellement connectés à nos vrais désirs, et donc de mettre en place les changements pour les réaliser. Ne croyez-vous pas que vous avez plutôt intérêt à y voir clair en ce moment, même si c'est difficile, plutôt que de vous résigner à vivre dans la brume ? Enfin je dis ça, je dis rien. Comme disent les enfants. Faites ce que vous voulez, mais Virginia Woolf vous aidera sans doute à regarder autrement votre situation.

Lorsque je racontai cet épisode à Nathan, il me reprocha d'être allée trop loin.

— Mais enfin, Nathan, tu vois bien autour de nous que ceux qui sont sous antidépresseurs ne peuvent plus s'en passer et qu'ils résolvent rarement leur problème initial !

— Peut-être, mais tu es libraire, pas médecin !

— L'autre solution, c'était que tu ailles t'occuper un peu d'elle... Mais je préfère te garder pour moi seule !

Toute mon histoire, de lectrice comme de libraire, me permet d'attester que les livres soignent plus en profondeur que des antidépresseurs. Ce sont eux qui peuvent réveiller le désir de vie. Ils produisent des déplacements intérieurs qui peuvent ensuite provoquer des mises en mouvement. Comme il est intime le rapport entre un lecteur et un livre ! Le temps de sa lecture, chacun est totalement libre de faire vibrer les mots parcourus et de laisser son imagination vagabonder. Libre de s'arrêter sur un mot, de traîner sur une phrase, voire de s'y endormir. Certains mots ont la douceur d'un oreiller en plumes, d'autres ont la rusticité de la terre. Les livres peuvent faire disparaître les barreaux des prisons. Au sens propre comme au figuré.

Otage pendant trois ans au Liban, Jean-Paul Kauffmann témoignait qu'il devait sa survie à deux livres que lui avaient donnés ses geôliers : la Bible et *Guerre et Paix* de Tolstoï qu'il lira vingt-deux fois !

Dans un entretien avec Jean-Claude Raspiengeas, journaliste à *La Croix*, Kauffmann indiqua que le jour où il reçut la Bible de ses geôliers, il eut l'impression que le Ciel lui envoyait un radeau qui allait changer sa condition de captif.

Dans *La Maison du retour* qu'il écrivit en 2007, il dit : « La lecture plus que la littérature m'a sauvé. Les mots me suffisaient, ils instauraient une présence. Ils étaient les complices. Du dehors, ils venaient à mon secours. Enfin, je pouvais compter sur un soutien de l'extérieur. »

En réalité, les médecins devraient prescrire à leurs patients une ordonnance pour la pharmacie et une consultation en librairie !

Quand je revis Solange, elle était accompagnée de son mari.

Ils étaient tous les deux attablés au soleil de l'automne à la terrasse de *La Fille des vignes*, un petit restaurant à côté du cinéma, qui fait un excellent *bo bun* et des très bons desserts ! Elle souriait et semblait de belle humeur et me héla dès qu'elle me vit passer.

— Nathalie ! Venez prendre un verre avec nous.

— Je ne peux pas, je dois ouvrir la librairie. Ça va bien ?

— Oui, beaucoup mieux. Luc, voici celle à qui tu dois d'avoir découvert comment on plante des arbres fruitiers.

Luc accompagna sa moue d'un sourire :

— Il faut dire que si je n'avais pas été là, nous n'aurions rien planté. Solange était bien trop absorbée dans la lecture de *Mrs Dalloway*.

Je souris à Solange.

— Et alors... Mrs Dalloway ?

— Je ne veux jamais lui ressembler et, pour parler familièrement, vous m'avez mis un bon coup de pied au derrière en me faisant lire ce bouquin !

— C'était un peu l'idée... J'en ai un autre à vous faire lire. *Les Chutes* de Joyce Carol Oates. Un très beau destin de femme...

— Super. Je le lirai. Mais à une condition...

— Laquelle ?

— Que vous veniez un jour prendre un thé dans notre joli jardin !

— Promis.

Luc et Solange sont devenus des amis.

En réalité, Luc était tout à fait capable d'entendre les souhaits de sa femme mais encore fallait-il qu'elle en exprime.

Auparavant il marchait deux pas devant et définissait le rythme comme l'orientation de leur vie, ils ont aujourd'hui un rapport plus équilibré.

Luc apprécie de ne pas avoir toujours la responsabilité d'une décision et découvre du même coup des initiatives de Solange qu'il n'aurait jamais soupçonnées. C'est ainsi qu'elle organisa intégralement une virée en Irlande où nous la suivîmes à la découverte des plus beaux jardins du sud de l'île.

Solange a vraiment la main verte.

Son jardin est magnifique ! Depuis qu'elle ne le fait plus pour les autres mais pour elle-même il est plus fantaisiste.

Elle s'est affranchie des espaces imposés en mélangeant librement les plantes ornementales avec les espèces habituellement cantonnées au potager. L'allée des artichauts qui divague au pied des lagerstroemias est très réussie, tout comme les tiges rouges des côtes de bettes qui poussent au bas des oliviers.

Nathan et Luc jouent à celui qui aura découvert un nouveau viticulteur de la région et je dois dire que cela donne lieu à des soirées bien arrosées…

Souvent je retrouve Solange en semaine pour des déjeuners entre filles ou pour aller au cinéma.

Nous avons une belle complicité. Je ne sais pourquoi il existe des déjeuners entre filles et pas entre garçons… Sans doute savons-nous plus facilement partager ce qui nous est intime et ressentons-nous le besoin de cet échange pour nous conforter ou nous libérer. Je parle avec Solange de sujets que je n'évoquerais pas avec Nathan. Non pas qu'ils soient futiles mais ils appartiennent à une sphère émotionnelle et sentimentale qui n'est pas le terrain de prédilection de mon mari.

Parfois, mes discussions avec elle précèdent des propos plus aiguisés avec Nathan. Je m'appuie sur ces conversations pour affronter mon homme aux avis tranchés et à l'assurance que je n'ai pas.

Nathan s'en rend compte et me lance alors : « Toi, tu as déjeuné avec Solange ces derniers jours ! » Il a souvent raison...

Uzès est un bel endroit pour se faire des amis car ceux qui viennent ici ne sont pas là pour paraître mais pour gagner en calme et en profondeur. Ce n'est pas une région de mondanités.

Même si la relation avec des amis d'enfance est riche du partage d'une longue histoire commune, les amitiés tardives ne sont pas encombrées du passé et se développent en permettant à chacun de donner à voir ce qu'il est vraiment dans la plénitude d'un âge et avec l'expérience d'un parcours qui a pu connaître des passages délicats désormais relégués au rang de l'histoire ancienne.

J'ai pris conscience de l'avantage de cette forme de virginité dans l'amitié qui grandit depuis entre Solange et moi.

Épilogue

La librairie de la place aux Herbes est devenue un lieu de rendez-vous bien identifié par les éditeurs qui acceptent régulièrement que j'y invite un auteur pour promouvoir son dernier livre.

Le temps d'une soirée, j'organise une lecture en présence de l'écrivain. Certains ne savent pas lire même s'ils savent très bien écrire ! Ce que je veux dire, c'est qu'il n'est pas donné à tout le monde de lire à haute voix et de transmettre le rythme et la sensibilité d'un récit. C'est une amie comédienne qui vient alors nous prêter sa voix.

Je ne cherche pas à faire venir les stars mais plutôt les auteurs de premiers romans ou des écrivains d'ailleurs qui nous emmènent dans les ruelles étrangères de leurs mots.

Ce soir-là, j'accueillais Salah Al Hamdani, poète d'origine irakienne, opposant à Saddam Hussein, exilé en France depuis plus de trente ans.

Comme souvent, la lecture rassembla bien davantage de monde que ce que mes petits gradins pouvaient accueillir.

Hélène était là bien sûr, mais aussi Nathan, qui avait fait le nécessaire pour rentrer de Paris plus tôt. Il y avait également Leïla et Martin qui avaient lâché leurs chèvres et Solange, sans son mari.

Sœur Véronika avait rameuté quelques religieuses de sa communauté qui formaient un petit groupe d'hirondelles que l'on ne pouvait rater et qui ne cessaient de me sourire avec gentillesse. Enfin, Guillaume et Élise étaient côte à côte et j'en fus émue.

Je pensais aux autres...

Jacques devait être en marche vers quelque haut lieu spirituel.

Où était Tarik ? Dans quel pays se battait-il ? Je l'imaginais assis entre Guillaume et Élise... Mais ce n'était pas là que son destin l'avait mené...

Et Bastien... Son père et lui avaient-ils poursuivi leur conversation longtemps interrompue ? Yann avait-il déjà quitté ce monde ?

Le souvenir de Bastien était dans un coin de mon jardin secret, un endroit doux où parfois mon esprit vagabondait.

Je me laissais emmener par la voix chaude de Salah Al Hamdani :

« Je ne veux plus attendre, avec le ruissellement des murs

L'hiver de la guerre

Moi, l'enfant d'un quartier ignoré

Taillé dans le doute et l'ennui

Qui traque la lumière

Sur la route des hommes. »

...

Ce soir-là, alors que Nathan s'était rapidement endormi, je ne trouvais pas le sommeil et je suis sortie dans la cour.

La nuit était claire mais un peu fraîche malgré la chaleur qu'il avait encore fait durant toutes ces journées du mois de septembre. Je passai un large poncho dans lequel je m'enroulai, blottie dans le transat, sous le micocoulier. Mon coin préféré.

Je repensais à mon invité irakien.

Avec Nathan, nous n'avons pas manqué d'énergie, mais à part notre venue à Uzès et la reprise de la librairie, nos actes ne nous ont pas vraiment mis en péril. Que risquions-nous vraiment ?

Uzès est un cadre rassurant. Peut-être trop...

Sœur Véronika, Jacques, Tarik, Bastien, Yann, Arthur, Leïla et Martin... Ils sont nombreux ceux qui s'engagent vers l'inconnu, sans filet, parfois même avec l'obligation d'aller au bout car tout retour en arrière est impossible.

Je ne cherche pas à me situer sur une échelle d'héroïsme car je crois que toute vie possède en elle-même ses défis et ses combats, ses occasions d'éprouver sa résistance, sa ténacité, mais aussi son ouverture et sa bienveillance. Mais je m'interroge simplement sur ce que les psychologues appellent notre « zone de confort ». Cet espace, physique et temporel, où nous maîtrisons tout. Pleinement rassurant mais aussi totalement prévisible. Un espace où rien de mal ne peut nous arriver, mais rien de meilleur, de différent, de vraiment nouveau non plus.

Aujourd'hui, j'ai conscience que je connais trop ce qu'il y a derrière chacune des portes qui sont devant moi. Je les ai ouvertes et m'y suis déjà engagée, souvent pour mon bien, ou je les ai refermées quand elles ne menaient nulle part, voire là où je savais ne pas vouloir me rendre.

C'est important d'avoir une zone de confort mais elle ne doit pas remplir tout l'espace et doit servir à prendre un bon appui pour de nouveaux élans.

Je dois beaucoup à ceux qui viennent à la librairie car ils m'apportent l'air du large et, par procuration, m'emmènent ailleurs, au bout du monde ou à la découverte de tous ces plis de l'âme humaine que je n'aurai jamais fini d'explorer.

Tout homme est une histoire sacrée. J'en suis convaincue et ne me lasserai pas d'engager le dialogue avec chacun de ceux qui croiseront mon chemin, pour continuer de tourner les pages de l'encyclopédie humaine ; mais je dois aussi aller plus loin, ne pas seulement prendre de ceux qui viennent mais oser moi-même partir.

La rencontre avec Solange me donne envie d'entreprendre l'aventure d'un jardin, la longue marche de Jacques celle de pèleriner à mon tour, les chants de Solan le désir d'éprouver ce qui advient lorsque l'on tire le fil de la spiritualité et d'aller un jour, peut-être, m'incliner vers l'autre en disant « namasté ».

Avant de retourner me coucher, je passai devant la bibliothèque.

Un livre était rangé à l'envers, je n'en voyais pas la tranche mais la somme de toutes les pages. Je le pris pour le remettre à l'endroit et découvris son titre : *Comme un roman* de Daniel Pennac.

Joli clin d'œil au cœur de la nuit. Ce livre est le plus bel ambassadeur de la lecture que je connaisse. Une invitation à lire à tort et à travers, sans règle ni mesure, avec comme seule obligation le plaisir de lire.

« Dis-moi ce que tu lis, je te dirai qui tu es. »

En parcourant la bibliothèque d'une personne qui me reçoit chez elle, j'en sais davantage sur mon hôte que s'il s'était présenté durant de longues heures.

Il faudrait pouvoir réunir les lecteurs d'un même livre. Ils doivent certainement se ressembler, vibrer aux mêmes émotions, et s'emporter dans des colères aux sources similaires. Il y a des communautés qui s'ignorent derrière chacun des livres.

Je sais que dans ma librairie, ce sont autant de traces humaines qui se cherchent, et parfois se croisent grâce à la lecture d'un livre.

Cet échantillon n'est absolument pas représentatif mais c'est la petite humanité qui compose le monde dans lequel je vis.

Les livres ont des grands bras qui s'ouvrent avec les pages.

Ils accueillent les yeux qui se posent sur eux. Les mains qui les prennent, trapues, calleuses ou soignées, douces, blanches ou brunes, ridées ou juvéniles, les adoptent le temps d'une lecture.

Les livres attendent ces adoptions, ils savent être reconnaissants à celui qui les aime en lui donnant souvent ce qu'il cherche : de la tendresse et de l'émotion, du frisson et de l'exotisme, de l'intelligence et des pistes nouvelles pour comprendre ce monde et parvenir à y vivre.

Dès le jour où il est publié, un livre n'appartient plus à son auteur mais à chacun de ses lecteurs.

Le livre est un passe-frontière. Les premiers mots de sa première page donnent les clés d'un nouveau monde, inconnu avant d'ouvrir le livre, qui se dévoile dans l'univers imaginaire de nos esprits.

Aujourd'hui je sais aussi que les livres créent des liens qui libèrent.

Avec chacun de ceux qui ont poussé la porte de ma petite librairie, une histoire est née.

Demain matin, ma porte s'ouvrira peut-être sur un paysan philosophe, un sculpteur égyptien, une cavalière itinérante, un vieux sourcier de la garrigue ou un prince de Russie...

Je suis impatiente d'être demain matin...

Sur les rayons de la librairie de la place aux Herbes...

• Cloé

Quatre-vingt-treize
Victor Hugo

À la recherche du temps perdu
Marcel Proust

Les Contemplations
Victor Hugo

La Ferme africaine
Karen Blixen

Les Yeux dans les arbres
Barbara Kingsolver

Les Fleurs du mal
Charles Baudelaire

Le Quatrième Mur
Sorj Chalandon

Roméo et Juliette
William Shakespeare

La Princesse de Clèves
Marie-Madeleine de La Fayette

Héloïse et Abélard
Roger Vailland

L'Encyclo des filles
Sonia Feertchak

Un taxi mauve
Michel Déon

L'Échappée belle
Anna Gavalda

Le Roman de Thèbes
Anonyme

• Jacques

Voyage avec l'absente
Anne Brunswic

Cinq méditations sur la beauté
François Cheng

Immortelle randonnée
Jean-Christophe Rufin

La Vie d'une autre
Frédérique Deghelt

L'Hôpital maritime
Pascal Ruffenach

La Cause humaine
Patrick Viveret

La Libellule et le Philosophe
Alain Cugno

Mon amie, c'est la finance
Gaël Giraud

Big Sur
Jack Kerouac

L'Homme qui marche
Christian Bobin

Vingt poèmes d'amour
Pablo Neruda

L'Origine de nos amours
Erik Orsenna

Cinq méditations sur la mort – autrement dit sur la vie
François Cheng

• Philippe

Le Chant des pistes
Bruce Chatwin

Tristes tropiques
Claude Lévi-Strauss

Les Hommes du long nuage blanc
Keri Hulme

L'Île
Robert Merle

Carnets de voyage
Titouan Lamazou

Le Juge Ti
Robert Van Gulik

Peuples chasseurs de l'Arctique
Roger Frison-Roche

• Leïla

Vies voisines
Mohamed Berrada

Notre ami le roi
Gilles Perrault

Regain
Jean Giono

Magellan
Stefan Zweig

Zoli
Colum McCann

Des jardins et des hommes
Gilles Clément

Elles accouchent et ne sont pas enceintes
Sophie Marinopoulos

• Bastien

L'Homme qui plantait des arbres
Jean Giono

L'Homme-joie
Christian Bobin

L'Abyssin
Jean-Christophe Rufin

Soie
Alessandro Baricco

La Beauté du monde
Michel Le Bris

Désert
Jean-Marie Le Clézio

L'Africain
Jean-Marie Le Clézio

La Voie royale
André Malraux

• Tarik

Winter
Rick Bass

Lobo, le roi des loups
Ernest Thompson Seton

Premier de cordée
Roger Frison-Roche

Le Château de ma mère
Marcel Pagnol

• Sœur Véronika

Le Livre de Kells
Bernard Meehan

Les Poèmes de guerre et d'après-guerre
Ernest Hemingway

On reconnaît le bonheur au bruit qu'il fait en s'en allant
Marie Griessinger

• Arthur

Le Rivage des Syrtes
Julien Gracq

Les Tisserands
Abdennour Bidar

Au doigt et à l'œil
Françoise Huguier

Mémoire de fille
Annie Ernaux

L'Empire du taureau
Catherine Paysan

- Solange

Manuel des jardins agroécologiques
Pierre Rabhi

Itinéraires d'un jardinier
Pascal Cribier

Alternatives au gazon
Olivier Filippi

L'Homme qui voulait être heureux
Laurent Gounelle

Chimères
Nuala O'Faolain

Les Heures
Michael Cunningham

Mrs Dalloway
Virginia Woolf

La Maison du retour
Jean-Paul Kauffmann

Les Chutes
Joyce Carol Oates

- Épilogue

Le Balayeur du désert
Salah Al Hamdani

Comme un roman
Daniel Pennac

Table des matières

Venez partager vos lectures
coups de cœur sur la page FaceBook
de *La libraire de la place aux Herbes*.

————

12137

Composition
NORD COMPO

Achevé d'imprimer en Espagne
par BLACK PRINT
le 10 mars 2020.

Dépôt légal : avril 2019.
EAN 9782290163542
OTP L21EPLN002415A008

ÉDITIONS J'AI LU
87, quai Panhard-et-Levassor, 75013 Paris

Diffusion France et étranger : Flammarion